Jean-Luc Aubarbier
Michel Binet

LE PAYS CATHARE

Photographies Jean-Pierre Bouchard

EDITIONS OUEST-FRANCE
13, rue du Breil, Rennes

Version cartonnée :
Première de couverture :
Peyrepertuse (Aude).
Quatrième de couverture :
Foix (Ariège).

Haut : *Lordat (Ariège),
sur la route de Montségur.*

Milieu : *Puivert (Aude) :
dans le donjon carré se réunissaient
les troubadours d'Occitanie.*

Bas : *Beynac (Dordogne) : dominant
la Dordogne, le « roi du Périgord »
fut pris et démantelé
par Simon de Montfort.*

Page de droite : *Peyrepertuse (Aude),
vu du village de Duilhac.*

Couverture : *Quéribus (Aude) :
l'ultime refuge et rempart
du Catharisme succomba vers 1255.*

Quatrième de couverture :
*Carcassonne (Aude) :
le jeune vicomte Raimon-Roger
Trencavel perdit sa ville et sa vie
à cause de la félonie des croisés.*

© 1992, Édilarge S.A. - Éditions Ouest-France, Rennes

Introduction

Aux XIIe et XIIIe siècles, une religion nouvelle, le **Catharisme,** s'implante dans tout le sud de la France. Ce christianisme « *différent* » *est perçu comme une menace insupportable par le pape Innocent III (1198-1216), son clergé et ses successeurs. Sous les règnes de Philippe Auguste (1180-1223), Louis VIII (1223-1226) et Louis IX (Saint Louis [1226-1270]), une guerre « sainte » d'une violence rarement égalée, alliant principalement barons français et papauté, est lancée, de 1209 à 1229, contre les pays de* **langue d'oc.** *Cette* **croisade contre les Albigeois,** *dont les péripéties militaires se poursuivent, en fait, jusqu'en 1244 (chute de Montségur), et même 1255 (prise de Quéribus), aura pour conséquences directes le rattachement à la couronne capétienne d'une grande partie du Midi, ainsi que l'extinction quasi définitive d'une civilisation aux aspects originaux.*

Après 1229 et pendant plus d'un siècle, les bûchers de l'Inquisition catholique parachèveront l'éradication de « l'hérésie » jusqu'à sa totale disparition. Le voile de silence qui a enveloppé ces événements pendant des siècles s'est déchiré depuis peu. Il laisse entrevoir, au-delà même de l'épopée tragique, un **drame humain et religieux** *propre à bouleverser nombre de partis pris historiques, à susciter la réflexion, et à enrichir la spiritualité de chacun. Le fil conducteur de l'ouvrage nous entraînera à exposer, en quelque vingt pages d'introduction, le cadre religieux, géographique, politique, culturel et historique de ces événements. Puis, du Périgord aux Pyrénées, de l'Agenais à la Provence, nous vous inviterons, à travers une douzaine de départements, aujourd'hui français, à parcourir cette terre d'Occitanie, à la recherche et à la découverte des Cathares, de leur histoire, de leur martyre... de leur message.*

LE CADRE RELIGIEUX ET SOCIAL

L'homme du Moyen Age occidental, qu'il prie, qu'il combatte, qu'il travaille, selon la répartition en **trois ordres** *de la société, perçoit l'art, le politique, le social, la vie, la mort... en un mot, le monde qui l'entoure, en termes spécifiquement religieux. La quasi-totalité de ses références sont chrétiennes. Son univers mental ne peut y échapper. Il conçoit sa propre existence comme* **résultant d'une création** *(il ne remettra cette conception en cause qu'à partir de la fin du XVIIIe siècle). Toute sa vie sociale et privée est centrée sur son* **salut** *et autour d'un même thème récurrent :* **Dieu.**

Quéribus (Aude) : battu par les vents, il fut défendu par le Cathare Chabert de Barbaira.

Avignonet (Haute-Garonne) : vestiges du château où furent massacrés les inquisiteurs catholiques en 1242.

Dès les premières années du XIᵉ siècle (1010-1020), et tout au long de la période qui nous intéresse, se manifeste chez de nombreux clercs et laïcs, une **angoisse existentielle** très réelle. Beaucoup ont le sentiment d'avoir « perdu » Dieu, lequel semble s'être détourné de sa création. L'**An Mil** est passé. On attendait le retour du Messie dans sa gloire. Dieu ne s'est pas manifesté. L'Homme se doit de renouer les liens rompus, pense-t-il, par sa seule faute (religion vient du latin religare : relier). Pour retrouver la divinité, une démarche intérieure et un retour à la **pureté** mythique des origines lui paraissent nécessaires. Un peu partout en Europe, un vent de contestation, à la fois d'**origine sociale et religieuse,** souffle sur l'Occident chrétien. Face aux famines, aux épidémies et à la misère quotidienne, **perçues comme châtiments divins,** le clergé catholique dont la fonction est précisément de « relier » Dieu à sa créature, est rapidement désigné comme **bouc-émissaire** et unique responsable. Le rôle d'intermédiaire du prêtre est remis en question, d'autant plus facilement que la hiérarchie ecclésiastique se préoccupe alors davantage de conserver ses prérogatives et de collecter ses impôts, que de vivre les exigences de pauvreté et de charité des Évangiles dont elle se réclame. Les prélats séculiers n'ont pas fait vœu de pauvreté et mènent grand train. Beaucoup de prêtres et abbés (clunisiens principalement) vivent en état permanent de « péché » et choquent par leurs excès (fornication, simonie). La papauté, consciente de la nécessité de réformer son clergé et d'un approfondissement de la foi, tente de canaliser cette « révolte » et encourage le mouvement monastique que guident des **hommes de haute spiritualité :** saint Bruno (la Grande Chartreuse, fin XIᵉ), Robert d'Arbrissel (Fontevrault, 1101), Robert de Molesmes (Cîteaux, 1098), saint Bernard (Clairvaux, Fontenay, Sénanque...), puis plus tard, saint Dominique (Dominicains), saint François d'Assise (Franciscains). L'**art roman** puis **gothique** prennent leur essor (Moissac, Conques, Saint-Sernin de Toulouse... mais aussi Chartres, Notre-Dame de Paris...). Les grands **pèlerinages** (Jérusalem, Saint-Jacques-de-Compostelle, Rocamadour...), les **croisades** en Terre sainte (de 1096 à la fin du XIIIᵉ siècle), tout autant que les ordres de **Chevalerie** (Templiers, Hospitaliers...) ou le **culte des saints,** témoignent de la foi de cette époque. Pourtant, Rome, malgré ses efforts, malgré l'humilité authentique de ses moines, ne peut empêcher un **violent anticléricalisme** de se manifester. Dans bien des endroits, des prêtres sont molestés, raillés, des crucifix brûlés, des églises saccagées, car, on l'aura compris, du rejet du prêtre à la remise en cause de son message, le pas a vite été franchi. Contre un clergé devenu odieux dans bien des cas, **des hommes de foi** s'élèvent, explorent ou redécouvrent, hors des chemins balisés du Catholicisme, des **voies différentes de salut** et professent ouvertement, dès le début du XIe siècle, des doctrines contestant les dogmes de l'Église. Rien qu'en France, l'Histoire a retenu le nom de certains d'entre eux. **Henri de Lausanne** parcourt tout le Midi, entre 1116 et 1139, rallie les foules (lorsque saint Bernard viendra prêcher contre les « Henriciens », ses paroles trouveront bien peu d'écho). En Bretagne, Éon de l'Étoile saccage les monastères. En Languedoc, **Pierre de Bruis** et ses partisans contestent eux aussi violemment le clergé. L'abbé de Cluny, Pierre le Vénérable, conscient de la gravité de la situation, jugera nécessaire de réfuter ses affirmations. En effet, comme Henri de Lausanne, Pierre de Bruis rejette les rites de l'Église et se refuse à vénérer le crucifix (tout comme les Cathares et les Templiers). Ce **rejet de la croix** est capital. La croix est l'instrument de supplice sur lequel l'envoyé de Dieu a été humilié : « Adorerais-tu la corde qui a pendu ton père ? », diront les Cathares. L'Église a l'impression de voir resurgir le spectre de l'**Arianisme** dont elle croyait pourtant bien s'être débarrassée. (Les chrétiens arianistes, dans les premiers siècles du Christianisme, considéraient Jésus-Christ comme un **envoyé de Dieu,** mais pas comme Dieu lui-même. (Au concile de Nicée, en 325, l'empereur Constantin expulsa les 1 730 prélats partisans d'Arius et fit voter par les 318 restant le dogme de la nature divine du Christ.) La menace est sérieuse, d'autant que ces courants, **se réclamant des Évangiles** qu'ils ont traduits en langue vulgaire, attirent les foules et ne voient plus en l'Église catholique la digne héritière du message d'Amour et de Charité des Apôtres. Le cas des **Vaudois** (du nom de leur fondateur **Pierre Valdo** ou **Valdès**), des Pauvres de Dieu ou des Pauvres de Lyon, comme on les appelle, montre que la force de l'exemple n'est plus du côté catholique. Vivant pauvrement, appliquant les préceptes des Écritures, ils ne sont en rien hérétiques sur le plan doctrinal (on verra même certains Vaudois s'opposer aux Cathares, lors de débats contradictoires). Pourtant, ils seront jugés schismatiques du seul fait de leur anticléricalisme, puis hérétiques, par Rome, en 1184 (certains d'entre eux, il est vrai, eurent des vues plus radicales). Si pendant un temps, l'Église prête une oreille assez complaisante à certains de ces mouvements et parvient même à distinguer, selon ses propres critères, entre pensées « orthodoxes » et « non orthodoxes », très vite, devant

Carcassonne (Aude) : le Château Comtal.

Les Pyrénées ariégeoises, du haut des murailles de Montségur.

Montmaur (Aude) : stèle discoïdale, ou croix « cathare ». Nombreuses dans la région toulousaine, elles datent de l'époque cathare mais n'ont pas de lien officiel avec le Catharisme.

l'ampleur du phénomène et la multiplicité de ses formes, elle les déclare « **hérétiques** » et **les persécute** à ce titre. (Des bûchers s'allument, épars encore, tout au long des XIe et XIIe siècles, en France, en Allemagne, en Italie...) Il est clair que l'Église se sent menacée. Elle considère comme intolérable que des personnes non dûment autorisées **traduisent la Bible** et usurpent à ses prêtres le **monopole** de l'interprétation et de la prédication des Saintes Écritures. L'interdiction pour les laïcs de posséder l'Ancien et le Nouveau Testament, ainsi que la **défense formelle** de leur traduction en langue vulgaire, sont clairement stipulées à l'article 14 du concile de Toulouse de 1229. Il est vrai qu'à cette date, en maints endroits, le Catharisme avait supplanté, du moins dans les cœurs, le Catholicisme romain et trouvait dans les Évangiles mêmes la justification de sa doctrine.

LA RELIGION CATHARE

*Le Catharisme est le plus important de ces mouvements contestataires. Il se développe dans la seconde moitié du XIIᵉ siècle et connaît une large audience auprès de la population languedocienne. Pourtant, il ne se limite pas à la seule France du Sud. Aux siècles qui nous occupent, du XIᵉ au XIIIᵉ, il est présent un peu partout en Europe. D'importants foyers existent en Allemagne, dans les Flandres, en Italie septentrionale et centrale, en Pays de Loire et en Champagne notamment, où 180 Cathares sont brûlés, en 1239, à **Mont-Wimer** dans la Marne. Si l'on tient compte des Églises **bogomiles** de Bulgarie ou de Bosnie, avec lesquelles les liens doctrinaux sont très étroits, c'est de l'Angleterre à l'Asie Mineure (Turquie actuelle) qu'il convient d'étendre la présence et l'influence de ceux qu'aujourd'hui nous appelons de façon générique les Cathares. L'époque, elle, ignore pratiquement le terme, sauf en Allemagne. Cathare dérive vraisemblablement du vieil allemand **Ketter** signifiant hérétique ; l'éthymologie longtemps admise de **Katharos**, « pur », en grec, est aujourd'hui contestée. Quoi qu'il en soit, selon les lieux, on les appelle aussi Bougres, **Albigeois** (nord de la France), Poplicains, Piphles (Flandres), Publicains (Angleterre), Pétrobusiens, **Patarins** (Italie)... sans être vraiment toujours certain que tous soient « cathares » au sens strict du terme. L'Église les désigne souvent sous les vocables plus généraux d'**Ariens**, de **Manichéens...** ou tout simplement d'**Hérétiques**. Partout, elle les persécutera. Pourtant, seul le Languedoc connaît une guerre « sainte » d'une telle ampleur (une autre croisade en Bosnie échoua. Le Catharisme y disparut au XVᵉ siècle). Plusieurs questions se posent. Pourquoi cette croisade anti-cathare de l'Église catholique, et précisément en ces régions ? Quels rôles dévolus à la papauté, aux pouvoirs politiques ? Pourquoi un tel acharnement, une telle résistance ? Le simple survol de la doctrine des Cathares va nous fournir d'intéressants éléments de réponse.*

*Nous connaissons la **doctrine** et la **liturgie cathares** grâce à quelques originaux (on possède par exemple la synthèse latine du « **Livre des Deux Principes** » de l'Italien Jean de Lugio) ; grâce aussi à des traités catholiques dans lesquels sont exposées, puis réfutées, leurs croyances, et grâce enfin aux très nombreuses minutes des procès de l'Inquisition (plusieurs milliers) où se découvre une foi vivante, vécue au quotidien. Leur étude montre que les Cathares sont des **Chrétiens avant tout**. Ils se réclament du Christ et des Évangiles (principalement celui de **saint Jean**). Mais leur conception même de Dieu, leur vision du Christ et leur approche des textes, les éloignent fort du Catholicisme*

*Romain qui voit en eux des **Manichéens** (au IIIᵉ siècle le prophète perse **Mani** ou **Manès** se présenta comme l'envoyé du Christ, le Paraclet, cet Esprit-Saint annoncé par saint Jean (XV-26 - XVI-7-8). Il synthétisa la pensée de Zoroastre, du Bouddha et de Jésus. **Dualiste,** son Église, très structurée, à forte cohésion doctrinale, s'implanta de la Chine à l'Espagne. Partout persécutée, elle faillit néanmoins supplanter le Catholicisme qui en garda, jusqu'aux XVIᵉ et XVIIᵉ siècles, une constante phobie). Même si une filiation ininterrompue entre l'Église de Mani et les Cathares languedociens n'a jamais été prouvée, il n'en reste pas moins vrai que les **similitudes de doctrines** sont très grandes. Les Cathares rejettent en effet avec vigueur l'idée catholique d'un Dieu personnel unique, créateur du Tout, de l'Homme et de son libre arbitre. Car pour eux, le Dieu d'absolue bonté qu'adorent les Catholiques, **n'a pas pu vouloir** pour sa créature les souffrances, les épidémies,*

Beynac (Dordogne) : son seigneur, ami du comte de Toulouse, mais aussi du roi de France, fut épargné par Simon de Montfort.

Sculpté dans la montagne, au-dessus de son village, le château de Roquefixade (Ariège).

Ci-contre : *Rocamadour (Lot) : deuxième site classé de France. « Les maisons sur le ruisseau, les églises sur les maisons, les rochers sur les églises, le château sur les rochers. »*

les famines, les guerres, l'injustice, la mort... le MAL, d'autant que, prescient (connaissant donc l'avenir) il savait, qu'imparfait et libre, l'Homme se détournerait de Lui. Ils ne comprennent pas que ce Dieu unique et parfaitement bon (ayant donc « produit » le Mal d'une façon ou d'une autre) ait ensuite chassé sa créature du Paradis et l'ait condamnée à souffrir. Pour les Cathares, pas d'Homme mauvais, qui a péché, puis sauvé par la Grâce divine ou la souffrance même de Dieu, incarné en Jésus-Christ.

Posé en termes de « création », ce problème du Mal amène en effet **à douter soit de la toute bonté de Dieu, soit de sa toute-puissance.** Conscients du Mal comme tout un chacun, ils l'expliquent par un **principe coéternel opposé** au **Dieu bon,** au **Dieu de Lumière,** qu'ils nomment **Prince des Ténèbres.** On a donc affaire à une **c**onception **dualiste.** *Dans la cosmogonie cathare, ce principe mauvais est « créateur » du monde visible, de la* **matière** *et donc de notre enveloppe corporelle dans laquelle est* **enfermée une parcelle divine** *de lumière. Une lutte cosmique sans merci oppose ces deux principes. Dans cette logique, Jésus-Christ ne peut être un véritable être de chair. C'est un être « spirituel », en-*

voyé par le Dieu de Lumière, et venu révéler à l'Homme le message de la **Gnose** (Gnosis = connaissance), grâce à laquelle l'Homme, devenu conscient de la parcelle divine prisonnière qui l'habite, va s'efforcer, par une vie d'ascèse, de **libérer son âme** et **contribuer,** par là même, à la **victoire finale** du Dieu de Lumière. On le voit le Catharisme se présente donc aussi comme une **religion initiatique.** Le Cathare entreprend sa propre démarche spirituelle. Grâce à la **stricte application** des préceptes des Évangiles (paix, justice, charité...), il parviendra à arracher son âme de sa prison de chair. Dans cette approche du divin, Dieu ne « descend » plus sur l'homme pour le sauver par sa souffrance, comme dans le Catholicisme. A charge, au contraire, pour le Cathare, par une profonde prise de conscience et une **recherche** constante des voies du salut, de « s'élever » vers Dieu. En d'autres termes, **virtuellement, potentiellement, l'Homme est Christ** (saint Jean : XIV). A lui de vouloir le devenir. Plus d'êtres passifs, angoissés et implorant une grâce extérieure et salvatrice venue « d'en haut », mais des êtres « libérés », **s'élevant vers la divinité** par un effort incessant, uniques artisans de leur propre salut et participant à *l'avènement du règne du Dieu de Lumière (les adver-saires des Cathares n'ont vu dans leur « culte solaire » qu'une adoration au premier degré). Le Christ est donc le **héraut** (et le héros) de lumière, semblable au **Soleil Invincible,** que vénéraient les gnostiques des premiers siècles dans le culte de **Mithra** (le Catholicisme em-pruntera au Mithraïsme plusieurs de ses mythes). Cette idée de Gnose prétendant apporter le salut non par la foi mais par la révélation et la connaissance de soi, était très répandue dans les premières églises chré-tiennes (leurs lieux de culte furent détruits par le Ca-tholicisme naissant et leurs Évangiles, rejetés et mis sous le boisseau. Les Évangiles gnostiques (évangile de Thomas, par exemple), découverts à Nag Hammâdi en 1945, et traduits depuis 1959, sont aujourd'hui acces-sibles au grand public. L'image du Jésus qu'on y dé-couvre est souvent très différente de celle donnée par les quatre évangélistes et saint Paul). On comprend dès lors que, pour les Cathares, le Baptême des enfants, l'Eucharistie, la Passion, la Rédemption par la foi, la*

Toulouse (Haute-Garonne) : le donjon du Capitole.

*Résurrection, le Jugement dernier et autres dogmes et sacrements du Catholicisme, n'aient aucune valeur et prennent place au rayon des accessoires. Ils pensent surtout comme le formulera plus tard Shakespeare que « **l'Hérétique n'est pas celui qui brûle dans la flamme, c'est celui qui allume le bûcher** » ; pour eux, l'Église de Rome, de par son intolérance, ses vices et ses crimes, ne peut être que l'**Église du Diable.***

*Cet ensemble de croyances, ici entr'aperçues, est transmis aux fidèles par les **parfaits** ou **parfaites** (les femmes ne sont pas inférieures ni considérées comme indignes du ministère). Cette désignation moderne de « Parfait » vient de l'expression « **Hereticus Perfectus** », l'hérétique total, achevé, absolu, qu'utilisaient les In-quisiteurs. Il ne s'y trouve donc à l'origine aucune connotation morale de perfection. Ce terme corres-pond, néanmoins, à une **réalité certaine**. Pour devenir parfait (ou Bon Homme ou Bonne Femme, comme on disait alors), l'adulte, encore « simple croyant », après une solide préparation de trois années, reçoit le **Conso-lament** (consolamentum en latin), lequel est un **bap-tême, au sens initiatique du terme.** Le récipiendaire se voit imposer les mains par un parfait et reçoit l'Esprit-Saint qui lui révèle la véritable nature divine de son âme et lui ouvre le chemin de la Gnose (introspection), qui fait de lui un « éveillé », un « initié », apte à libérer son âme par une **vie d'ascèse**. S'il échoue ou si sa vie n'est pas sans reproche, son âme retournera aux cycles des incarnations (il peut aussi redevenir simple croyant). Les Cathares (sans être toujours précis sur le comment) croient en effet à la **réincarnation,** à la mé-tempsycose (les parfaits ne mangent que des animaux à sang froid). Cet étrange apport de la métempsycose dans une religion chrétienne pourrait venir d'une relec-ture christianisée de Platon et Pythagore. Austère, exi-geante, la religion cathare requiert de ses ministres et **d'eux uniquement**, une exemplarité de tous les ins-tants. Ils se doivent d'appliquer à la lettre les enseigne-ments du Christ et des Évangiles. Ils refusent de prêter serment, **s'obligent à dire toujours la vérité** (on ima-gine les conséquences devant l'Inquisition !), à rejeter l'envie, la colère, la jalousie, les vices de toutes na-tures. Ils s'abstiennent de tout contact sexuel ou même physique (procréer signifierait pour eux précipiter et enchaîner une âme, œuvre du Prince des Ténèbres) mais considèrent la reproduction comme normale pour les simples croyants (il faut bien « fournir » des corps aux âmes qui doivent achever de se purifier sur terre). Ils ne versent ni le sang des hommes ni celui des ani-maux (« tu ne tueras point »). **Totalement non violents,** pas un seul ne prendra les armes pour se défendre. Quasiment végétariens, ils jeûnent souvent, mènent une vie ascétique mais non « hors du monde ». Ils se doi-*

Puivert (Aude) : à l'automne 1210 il ne résista que trois jours à Simon de Montfort.

vent en effet de **travailler.** *Ils exercent toutes sortes de métiers, manuels essentiellement (on les appelle aussi « **Tisserands** »), parcourent inlassablement le pays, **toujours par deux,** vêtus de bure bleue ou noire. Même au plus fort des persécutions, ils apportent aux croyants le **consolament des mourants** (sorte de viatique pour l'au-delà qu'il ne faut pas confondre avec celui dont nous venons de parler). Ils soignent les malades, aident aux travaux des champs, **ne possèdent rien,** n'exigent rien (**pas de dîme**) et œuvrent comme le plus humble*

*des paysans occitans dont ils partagent le repas. Aussi sont-ils **respectés, aimés**. Plus peut-être que dans la teneur même de leur message, c'est dans l'**exemplarité de leur vie** et la simplicité chaleureuse de leur contact, qu'il convient de chercher l'explication du succès du Catharisme. Difficile d'évaluer le nombre de Cathares en Languedoc. Minoritaires dans les villes, omniprésents dans les villages dont les seigneurs étaient gagnés à « l'hérésie », ils sont estimés entre 10 et 15 % de la population par certains historiens, et jusqu'à 50 % par*

tenu par le travail de tous et les dons des croyants est utilisé au fonctionnement des « maisons » et alimente tout un réseau d'entraide. Scrupuleusement honnêtes, ils se voient aussi confier un rôle de **banquiers,** comme les Templiers. En 1167, à la date de la création des évêchés cathares, un concile se serait tenu à Saint-Félix-Lauragais en Haute-Garonne. Selon un chroniqueur du XVIIe siècle qui l'affirme, un certain **Nicétas,** représentant les Églises bogomiles (Bogo-mil = ami de Dieu) serait venu le présider. Le Catharisme européen était-il unifié ? S'est-il transmis des Balkans au Languedoc, via l'Italie et la Provence ou bien a-t-il suivi le chemin inverse ? Pourquoi ne serait-il pas né tout simplement en Languedoc, parallèlement à d'autres foyers dualistes, ailleurs ? La terre d'oc était pour lui, nous allons le voir, un terreau fertile.

LE CADRE LANGUEDOCIEN

L'**Arianisme,** professé officiellement en Languedoc jusqu'au VIe siècle, a-t-il marqué suffisamment les mentalités, jusqu'à les rendre plus réceptives, des siècles plus tard, aux thèses cathares ? C'est peut-être aller chercher bien loin. Bien plus favorables sont, au XIIe siècle, les facteurs économiques, politiques et culturels, d'une **société occitane** caractérisée par un réel climat de **réceptivité,** d'**ouverture d'esprit,** de **liberté.**

Château de Saissac (Aude) : son seigneur aimait y recevoir les troubadours Peire Vidal et Raimon de Miraval.

Ci-contre : *Énigmatique et envoûtant paysage des Corbières, dans l'Aude.*

d'autres. Mais l'ampleur de la résistance durant et après la croisade, les moyens mis en œuvre pour abattre « l'hérésie », sont là pour nous indiquer que la seule doctrine cathare n'explique pas tout. L'**Église** des Cathares est **purement spirituelle.** Pas de culte, pas de temple ni d'église (le château de Montségur est le seul « monument cathare » véritable, construit par eux). Les cérémonies, simples, publiques, se déroulent dans les « Maisons » (sortes de séminaires et ateliers d'artisanat), chez « l'habitant » ou simplement en pleine nature. Pas de chef suprême non plus, mais **quatre évêques** nommés en 1167, pour les diocèses de Toulouse, d'Albi, d'Agen et de Carcassonne (un cinquième, celui du Razès, sera créé en 1226). L'évêque cathare est secondé par son **Fils Majeur,** son **Fils Mineur** (sortes de coadjuteurs) et par des diacres. L'argent ob-

Le donjon San Jordi, à Peyrepertuse (Aude).

Une notion inconnue en « France du Nord », influence alors les comportements sociaux : le **Paratge.** Selon cette idée, des personnes de classes sociales différentes peuvent posséder un honneur et une dignité comparables. Il ne s'agit pas encore d'égalité de droit mais de **respect de la personne,** d'une « **égalité d'âmes** ». D'ailleurs, le servage n'existe pas en Languedoc. Même « attaché » à sa terre, le paysan peut accéder à la propriété. Le bourgeois, lui, peut devenir chevalier. La femme a droit de commercer, et son avis, exprimé en public, est pris en compte. Est-ce hasard si c'est précisément à cette époque et en Languedoc que naît **l'amour courtois,** cette conception à la fois « romantique » et religieuse de l'amour ? Les **troubadours** chantent la Femme et surtout la respectent comme jamais auparavant dans l'Histoire. L'idée cathare de réincarnation qui affirme que l'homme peut renaître femme ou que le baron peut avoir été paysan, sera admise sans trop de peine par les Languedociens, et particulièrement par les **femmes.** Considérées, reconnues par le Catharisme à l'égal de l'homme, elles seront parmi ses plus fidèles partisans et défenseurs. En effet, si la haute noblesse occitane est restée catholique soit par conviction, soit par prudence, rare le comte, le vi-

comte ou le simple seigneur sans une mère, une épouse, une sœur, gagnée à « l'hérésie ». La bourgeoisie, riche de son commerce en Méditerranée (le Languedoc regarde plus facilement vers Barcelone ou les cités italiennes que vers la lointaine capitale des Francs), s'affranchit de la tutelle de l'abbé ou du seigneur et défend jalousement ses prérogatives politiques, financières et commerciales. Les consuls toulousains (les **Capitouls**), élus à la fois par la petite noblesse et les bourgeois, administrent la cité et veillent sur leurs libertés. Le comte ne se risque pas à les mécontenter. Comment pourrait-il intervenir d'ailleurs ? Toulouse n'a aucun rôle centralisateur, ni politique ni administratif. Si le comte est suzerain direct d'importants territoires (Agenais, Armagnac, Quercy, Rouergue, Vivarais ou comtat Venaissin), s'il est aussi duc de Narbonne et comte de Provence, il a en fait **bien peu d'influence** sur eux et moins encore sur ses grands vassaux, comme les Trencavel (régions de Carcassonne, Albi, Béziers, Razès), lesquels dépendent, pour partie de leur terre, du roi d'Aragon (celui-ci est suzerain ou cosuzerain de vastes régions en Languedoc : comtés de Millau, de Gévaudan, Montpellier, Foix, Comminges, Béarn...). Ajoutez à cette complexité

Termes (Aude) : mur de la chapelle castrale. Le château succomba en 1210 après quatre mois de siège.

des liens féodaux, les rivalités incessantes, la multiplicité des coseigneuries (le droit d'aînesse n'existe pas. Mirepoix, par exemple, se trouve dépendre de 36 coseigneurs !), et l'on comprend à la fois que de nombreux petits seigneurs indépendants profitent de ce manque d'autorité pour s'approprier, sous couvert de Catharisme, les biens du clergé et qu'un Raymond V, par exemple, soit dépassé par la situation. Dans une lettre adressée à l'abbé de Cîteaux en 1177, il confesse son impuissance devant les progrès de « l'hérésie » : « Je reconnais que les forces me manquent pour mener à bien une affaire si vaste et si difficile parce que les plus nobles de ma terre sont déjà atteints par le mal de l'infidélité, entraînant avec eux une grande multitude de gens qui ont abandonné la foi. Si bien que **je n'ose ni ne puis rien entreprendre.** » Ce manque de cohésion, cette **dispersion** des pouvoirs favorisent pour l'heure l'implantation cathare. Ils s'avéreront un **lourd handicap** lorsque viendra l'affrontement armé. Le Languedoc se présentera **en ordre dispersé** face à la croisade.

Liberté politique donc, liberté des hommes, liberté des esprits aussi. Avec navires et caravanes circulent les idées. Elles sont accueillies avec tolérance, curiosité, intérêt même. Chrétiens, Musulmans et Juifs vivent **en harmonie** certaine. C'est vers 1150 qu'est fixée par écrit, en Provence, la **Cabbale** (Isaac l'Aveugle). On fait appel aux exégètes juifs pour la traduction de la Bible et ce n'est que vers 1240 que les attaques contre les juifs s'accentueront. (En 1239, Saint Louis fera saisir tous les ouvrages des synagogues. En 1269, il obligera la population juive à porter un signe distinctif d'infamie : la **rouelle**.) Pour l'instant, dans le Languedoc d'avant la croisade, outre les fonctions traditionnelles de la banque, certains **Juifs** occupent des postes de responsabilité, malgré les interdits de l'Église, et enseignent aux côtés des Chrétiens et des **Musulmans** à la faculté de Montpellier.

Dans ce climat de **liberté** (qu'il ne faut pourtant pas idéaliser ni comparer à nos modernes démocraties), le Catharisme trouve des conditions favorables à son épanouissement. Devant son autorité bafouée, ses biens spoliés, que peut faire l'Eglise de Rome ? Dans un premier temps : tenter de convaincre. **Saint Dominique** viendra de son Espagne natale prêcher contre les Cathares et essayer de les ramener « à la raison ». Vivant pauvrement à la manière des parfaits, il parcourt, dès

*1205, le Razès, la région de Carcassonne, participe à des **joutes oratoires** (courantes à l'époque), où s'opposent les déjà célèbres parfaits **Guilhabert de Castres** ou **Benoît de Termes** et les théologiens catholiques. Il fonde l'ordre des **Frères Prêcheurs,** parmi lesquels seront choisies, après sa mort (1221), les plus tristes figures de l'Inquisition catholique. Ses efforts sincères auront un succès limité et il se rendra vite compte de leur inefficacité. En 1208, il déclare : « J'ai supplié, j'ai pleuré. Mais comme l'on dit vulgairement en Espagne, **là où ne vaut la bénédiction prévaudra le bâton.** » La papauté est inquiète. Elle a beau menacer à plusieurs reprises Raymond VI, rien n'y fait. L'argument théologique, l'exemple de saint Dominique, ses « miracles » mêmes, sont impuissants à convertir les Cathares ; les menaces d'interdit, d'excommunication le sont tout autant. Reste la force pour rétablir l'autorité spirituelle et temporelle du Catholicisme. Les derniers efforts du légat pontifical **Pierre de Castelnau** sont eux aussi restés sans effet. Tout bascule le **15 février 1208.** De retour d'une mission manquée à Toulouse, il est **assassiné** à Saint-Gilles-du-Gard. Raymond VI est de suite désigné comme responsable du crime. Innocent III, après dit-on mûre réflexion, se décide à frapper. Plusieurs missives adjurant Philippe Auguste de se croiser restent lettre morte. Le roi se tiendra en effet, hors de l'affaire albigeoise. Mais il ne peut très longtemps empêcher certains de ses vassaux, alléchés par les promesses papales, de s'enrôler dans la croisade. Le sort en est jeté. La répression armée, une lutte de quelque **45 années** va ensanglanter le Languedoc. **Pour conserver son monopole d'accès au divin,** pour préserver ses biens et son autorité, l'Église déclare et prêche la guerre « sainte » dans toute la chrétienté.*

LA CROISADE CONTRE LES CATHARES

*En juin 1209, une armée de **50 000 à 130 000 croisés** (selon les estimations actuelles) se rassemble à Lyon. Sont présents le duc de Bourgogne, les comtes de Nevers et de Saint-Pol, le sénéchal d'Anjou, qu'accompagnent de nombreux autres seigneurs, parmi lesquels, un certain **Simon de Montfort** descendu de sa vallée de Chevreuse. A des milliers de chevaliers, se mêle une piétaille accourue de **tous les horizons** de France et d'ailleurs. On y rencontre même les ribauds de la cour des Miracles, venus avec leur « roi ». Les prêches enflammés des envoyés pontificaux les ont tous convaincus de la noblesse de leur cause. Leur but premier : extirper « l'hérésie », défendre « la foi ». A la tête de la croisade, un clerc intransigeant jusqu'à la cruauté, un*

Toulouse (Haute-Garonne) : l'église Saint-Sernin.

Termes (Aude) : fenêtre cruciforme dans la chapelle.

Cordes (Tarn) : cette splendide bastide fut érigée pour les Cathares en 1222 par le comte Raimon VII.
Ci-contre : Le château de Puilaurens (Aude) : il fut un des derniers à tomber, entre 1250 et 1256.

*homme du Languedoc très au fait des enjeux politiques et religieux : **Arnaud-Amaury,** abbé de Cîteaux, légat du pape. Pendant ce temps, le Languedoc somnole. En ce début d'été 1209, il n'a pas encore pris conscience du danger, sûr qu'il est de sa civilisation, de ses châteaux, de ses alliances. Pourquoi s'inquiéterait-il d'ailleurs ? Sa haute noblesse est catholique, elle aussi. Philippe Auguste n'est-il pas le bon cousin de Raymond VI, le comte de Toulouse ? Et puis, selon le droit féodal, les croisés ne se sont « engagés » que pour quarante jours. Nul ne doute qu'avec le temps et après l'échec d'un ou deux sièges, tout ce joli monde s'en retournera comme il est venu. **Raymond VI,** lui, a bien perçu la menace. Le 18 juin 1209, à Saint-Gilles-du-Gard, berceau des comtes de Toulouse, où il a été convoqué par la papauté, il accepte de se soumettre à l'Église, de se faire **flageller et humilier** devant ses représentants. Il ira jusqu'à s'enrôler dans la croisade. Il n'est ni fou, ni lâche, ni traître. Pour sauver ce qui peut l'être encore, **il préfère composer.** Il sait que les terres d'un croisé sont inviolables, et qu'en prenant la croix, il sauve son comté. Le 24 juin, la croisade se met en marche : Valence, Montélimar, Beaucaire (où elle franchit le Rhône), puis campe sous Montpellier, fief du très catholique roi d'Aragon. Jusque-là aucun heurt, aucune exac-*

*tion, on est en territoire « ami ». Il est clair pour **Raymond-Roger Trencavel,** neveu de Raymond VI, que la croisade se dirige vers ses terres. Il chevauche alors jusqu'à Montpellier pour se soumettre et jurer sa bonne foi. Catholique, il l'est sans doute aucun, mais il protège les Cathares, et les légats pontificaux le savent bien qui refusent de le recevoir. Puisqu'il faut se battre, le jeune vicomte (il n'a pas 25 ans) relève le défi, alerte sa*

Mirepoix (Ariège) : la moitié de ses trente-six coseigneurs étaient cathares.

bonne ville de Béziers, lui promet des renforts et retourne à Carcassonne organiser la défense de son fief. Le temps lui manquera. Le 21 juillet, les croisés piaffent d'impatience devant Béziers. Contre la vie sauve des habitants, ils exigent 222 bourgeois hérétiques. Pour les Biterrois, pas question de livrer des concitoyens, même hérétiques, à ces étrangers menaçants dont ils n'entendent pas même le langage. Tous font cause commune... tous sont massacrés. Pas de quartiers. Catholiques ou hérétiques, prêtres, bourgeois, soldats, manants, femmes, enfants sont exterminés. « Tuez-les tous ! Dieu reconnaîtra les siens » se serait écrié Arnaud-Amaury. Réelle ou imaginée, la phrase attribuée à l'abbé de Cîteaux n'en recouvre pas moins une atroce réalité, réalité qu'il confirme par lettre à Innocent III : « Les nôtres ont fait périr par l'épée à peu près vingt mille personnes. » La boucherie de Béziers glace d'effroi toute la population du Languedoc. Elle cimente aussi les unions. Les Catholiques occitans ne se rallieront pas en masse à la croisade. Beaucoup feront front commun avec les « hérétiques ». La nouvelle du carnage se répand rapidement. Narbonne ouvre ses portes. Commence alors le siège de Carcassonne. Pierre II d'Aragon, allié de Rome par sa foi, et suzerain protecteur des Trencavel, tente alors une délicate médiation qui échoue. Devant le manque d'eau et les risques d'épidémies, Trencavel négocie la vie sauve de sa population mais, au mépris des règles de la chevalerie, il est retenu prisonnier et, après la reddition de Carcassonne, le 15 août 1209, jeté en prison où il meurt le 10 novembre. A qui va échoir cette superbe vicomté ? Qui, au mépris du droit féodal, osera s'approprier une terre dont le seigneur n'a pas été excommunié ? Pressentis, tous les grands feudataires français refusent. D'ailleurs Nevers et Bourgogne ont terminé leur quarantaine et rentrent en France. Il faut l'insistance des prélats et l'ordre formel d'Arnaud-Amaury pour qu'un petit seigneur d'Ile-de-France accepte d'en prendre possession. Il est valeureux, tenace, convaincu de sa mission de soldat du Christ. Il est âgé de 45 ans, s'est illustré déjà au cours d'une croisade. En acceptant la suzeraineté de Carcassonne, d'Albi, de Béziers et du Razès, il devient ipso facto le bras armé de la croisade. Simon de Montfort, car il s'agit de lui, est entouré de fidèles, braves et ambitieux comme lui : Robert de Mauvoisin, Guy de Lévis, Guy de Montfort (son frère), Simon de Neauphle, Guy des Vaux de Cernay...

Saint-Antonin-Noble-Val (Tarn-et-Garonne) : vue générale.

*Sa piété, ses qualités de droiture et de bravoure, sont reconnues mais son ambition le poussera à « détourner la croisade à son profit », selon le reproche du pape. Il se montrera intraitable, **inutilement cruel** en plusieurs circonstances. Pendant **neuf ans**, il va mettre le **Languedoc à feu et à sang**, et devenir pour tous « l'ennemi public numéro un ». A l'automne 1209, la majorité des croisés s'en est retournée, seuls quelques fidèles entourent Montfort. Le pays est apeuré mais loin d'être totalement soumis. Si certaines places comme Castelnaudary, Fanjeaux, Montréal, Limoux, Castres, Albi ou Lombers se sont rendues sans véritable résistance, si Montfort, sorti des limites de « ses terres », s'est attaqué avec succès au comte de Foix (prises de Mirepoix, de Foix, de Saverdun), l'hiver venu, tout change. Partout la résistance s'organise, les villes se soulèvent (Castres, Lombers, Montréal...) et Montfort perd la plupart des places soumises. Cathares et **faidits** (seigneurs dépossédés de leur fief) se réfugient qui à Minerve, qui à Termes ou Cabaret et narguent le Français.*

*Au printemps 1210, Montfort reçoit d'importants renforts et entreprend de reconquérir les places perdues. A **Bram**, il fait affreusement **mutiler** une centaine de prisonniers, leur crève les yeux et les envoie sous les murailles de Cabaret. L'avertissement est clair et **Cabaret** finira par se rendre. En juin 1210, il attaque Minerve. Entouré de canyons, le site est impressionnant. Il bombarde le château. Sous la chaleur torride, manquant d'eau, **Minerve** capitule... Les **140 Cathares**, qui refusent d'abjurer, périssent sur le bûcher. Seules trois femmes, qui acceptent de se convertir, sont épargnées. Le fait est révélateur. Au cours des quelque quarante années de guerre qui vont suivre, sur les **3 000 ou 4 000 parfaits brûlés**, on ne connaît tout au plus que **cinq cas d'abjuration**.*

*En juillet 1210, les croisés campent devant **Termes**. Imprenable paraît la forteresse. L'eau polluée des citernes, le froid et la dysenterie viennent pourtant à bout des défenseurs, à la fin du mois de novembre. Après le Minervois, les Corbières se soumettent, puis c'est le tour du Razès, du **château de Puivert**, du Sud-Albigeois avec Castres et Lombers. Fin 1210, Montfort a étendu ses conquêtes jusqu'aux abords des Pyrénées, il a réduit d'importantes poches de résistance. L'année 1211 est marquée par l'**excommunication du comte de Toulouse**, Raymond VI. S'il a juré sa bonne foi à Saint-Gilles, il ne fait rien, ou bien peu, pour enrayer « l'hérésie » sur ses terres. Le clergé et Arnaud-Amaury cherchent un prétexte pour pouvoir intervenir « légalement » dans le comté. Ils convoquent Raymond VI à Montpellier, en février 1211, lui lancent un ultimatum dont les termes sont, stricto sensu, inacceptables. Raymond VI est excommunié, son fief « **mis en proie** ». Un immense territoire s'offre alors aux appétits de Simon de Montfort. **Lavaur** tombe au printemps 1211. **Giralda de Laurac**, sa châtelaine, est violée, lapidée, ses quatre-vingts chevaliers sont pendus et **400 Cathares** brûlent dans les flammes du **plus grand bûcher** de la croisade. Autour de Toulouse, le comté est mis à feu et à sang. Bûcher aux **Cassès**, destruction de Montgey, exécution de la garnison de La Grave, conquête de l'Agenais, du Quercy et du Périgord. A **Moissac**, à Hautpoul, à Penne-d'Agenais, on assiste à de véritables massacres, au cours de l'année 1212. Montfort cherche à isoler Toulouse qui lui résiste et qu'il s'est déjà permis d'assiéger en juin, mais sans résultat. Infatigable, il parcourt le pays de Foix, le Cousserans, le Comminges, le Lauragais, l'Albigeois. L'aspect religieux est certes toujours présent, mais c'est, en fait, à une véritable **guerre de conquête** qu'il se livre. L'étau se resserre. Raymond VI supplie alors son beau-frère, Pierre II d'intervenir. Le roi d'Aragon jouit d'un prestige im-*

Stèle élevée en 1960 par la Société du Souvenir et des Études Cathares sur le « Prat des Cramats » (champ des brûlés), emplacement supposé du bûcher de Montségur (Ariège).

Moissac (Tarn-et-Garonne) : détail du portail de l'église, chef-d'œuvre de l'art roman.

Padern (Aude) fut occupé par les croisés.

mense, il vient de remporter une retentissante victoire contre les Maures. Il est, en outre, suzerain protecteur de nombreux fiefs occitans. Le 27 janvier 1213, Raymond VI, les comtes de Foix et de Comminges, lui rendent hommage à Toulouse et se rangent sous sa protection. La plupart des seigneurs se rallient à sa bannière. En septembre 1213, Simon de Montfort, avec un millier de cavaliers et une poignée d'hommes, se doit d'affronter une coalition de trois mille chevaliers et quelque quarante mille fantassins. Lucide, il se confesse et rédige son testament. Le 13 septembre, à **Muret**, à environ 12 km de Toulouse, contre toute attente, et par un stratagème dont on discute encore, **Pierre d'Aragon trouve la mort**. Aragonais et Catalans se débandent, la milice toulousaine se fait tailler en pièces. **Quinze mille morts**. Déroute occitane. Montfort, dès lors, **apparaît invincible**. Toulouse, Foix, le Comminges, le Roussillon déposent les armes. Raymond VI implore le pardon de l'Église. Il préfère comme beaucoup, se soumettre directement au pape, plutôt que de se voir dépossédé par Montfort, tant sont grandes la crainte et la haine qu'il inspire. La papauté elle-même s'inquiète. Montfort ne ternit-il pas davantage encore l'image du Catholicisme ? Le nouveau légat pontifical, Pierre de Bénévent, a charge de réfréner ses ardeurs. Sur le plan militaire pourtant, le Français représente une carte majeure. Les évêques le soutiennent. **Au concile de Montpellier**, le 8 janvier 1215, il se voit confier le comté de Toulouse. Montfort attend pourtant l'arrivée du **prince Louis** (futur Louis VIII), envoyé par Philippe Auguste, pour entrer dans Toulouse, en mai 1215. Ce dernier, maintenant que tout semble réglé en Languedoc, que la bataille de Bouvines (1214) a écarté de France la menace allemande et anglaise, peut récolter à peu de frais, la moisson de son belliqueux vassal. **Le Languedoc s'incline devant la loi des armes**. Du Sud-Périgord aux Pyrénées, de Montauban à Beaucaire, tous, ou presque, à contrecœur, se soumettent. En novembre 1215, le concile de Latran IV officialise la décision de Montpellier. **Simon de Montfort**, malgré les protestations de foi des seigneurs occitans, malgré les suppliques du tout jeune Raymond VII, est proclamé légitime **possesseur du comté de Toulouse**. Seuls lui échappent le comtat Venaissin et le marquisat de Provence. En avril 1216, Montfort chevauche jusqu'à Paris faire hommage de ses conquêtes à Philippe Auguste. Après sept ans de guerre, la croisade semble toucher à sa fin. Ce que Montfort ignore encore, c'est que les décisions du concile ont provoqué une **levée de boucliers dans tout le Languedoc** qui réclame ses légitimes seigneurs. Fin avril 1216, en provenance d'Italie, Raymond VI et son fils de 19 ans (Raymond VII) débarquent à Marseille et rallient à leur cause une grande partie des villes du Sud

Le palais des rois de Majorque, à Perpignan (Pyrénées-Orientales) : Perpignan, cité d'Aragon-Catalogne, servit de refuge aux Cathares, après la croisade.

Minerve (Hérault), le « monument à la colombe » (symbole du Saint-Esprit) dédié aux quelque 140 victimes du bûcher.

*(sauf Saint-Gilles, Orange, Nîmes). Pendant que le père part chercher des renforts en Aragon, le fils assiège la garnison française de **Beaucaire,** en mai 1216. Simon de Montfort accourt sauver son fidèle Lambert de Thury, « assiège les assiégeants », mais, au bout de trois mois, doit se replier et traiter avec Raymond VII. C'est son premier échec véritable. Entre-temps, **Toulouse s'est insurgée** et réclame son « seigneur naturel ». A marche forcée, Montfort rejoint « sa capitale », prend des otages, rançonne la cité, ordonne la destruction de ses défenses. Puis il repart guerroyer en Bigorre (échec devant Lourdes, fin 1216), dans le comté de Foix (prise de Montgrenier, février-mars 1217), dans les Corbières et jusqu'en vallée de **Drôme,** à l'autre bout de ses États. Profitant de l'absence de Montfort, Raymond VI passe les Pyrénées et fait son entrée triomphale à Toulouse, le 13 septembre 1217. Prévenu, **Montfort** revient, assiège la ville. C'est au cours de ce long siège, mémorable à bien des égards, d'une violence inouïe, qu'il **trouve la mort,** le 25 juin 1218, le crâne fracassé par un boulet. Son fils **Amaury** lui succède dans tous ses droits et titres mais, malgré sa valeur, le fils n'égale pas le père, d'autant que l'effet psychologique de la*

À l'intérieur de la cathédrale de Carcassonne (Aude), la « pierre du siège »,
représentant, selon la tradition, le siège de Toulouse de 1218.

disparition de Montfort galvanise les ardeurs. Les croisés doivent se retirer. Le Languedoc connaît alors un **soulèvement quasi général.** Les chevaliers français sont même vaincus à **Baziège** par Raymond VII et le comte de Foix. Devant la menace, Amaury de Montfort et Honorius III (Innocent III est mort en juillet 1216) supplient le roi de France d'intervenir. Celui-ci laisse son fils, le **prince Louis,** venir une seconde fois au secours de la croisade. Après le **massacre de Marmande** (5 000 victimes), le 3 juin 1219, après un nouveau siège manqué devant Toulouse (le troisième), Louis retourne en France, à la surprise générale, le 1er août 1219. Resté seul et malgré sa vaillance, Amaury de Montfort connaît, jusqu'en 1222, défaite après défaite. Il est battu à Castelnaudary. Raymond VII et ses vassaux dépossédés reconquièrent peu à peu leurs domaines. Nombre d'évêques catholiques préfèrent alors s'enfuir. **Le Catharisme réapparaît en plein jour.** La situation militaire s'est complètement retournée. On voit tour à tour, Amaury de Montfort, en janvier 1222,

et Raymond VII, en juin, offrir la suzeraineté du comté de Toulouse à Philippe Auguste qui refuse. L'année 1222 voit la disparition de Raymond VI. L'année suivante meurent Roger-Bernard de Foix et le roi de France Philippe Auguste. La **« reconquête »** occitane partout se poursuit. Assiégé dans Carcassonne, **Amaury de Montfort** finit par renoncer à son comté et **rentre en France,** le 15 janvier 1224. La cité accueille son seigneur Trencavel, élevé en exil. **La croisade a échoué.** Après quatorze ans de guerre, de massacres, de bûchers, **on est revenu à la situation politique et religieuse d'avant 1209.**

Devenu roi de France, **Louis VIII,** contrairement à son père, s'intéresse de très près à « l'affaire albigeoise ». Catholique sincère, il a, de plus, conscience des profits que peut en tirer la couronne. En février 1224, il accepte la **donation,** par Amaury de Montfort, d'un comté que celui-ci ne possède plus dans les faits. Louis VIII se prépare à la croisade. Entre-temps, Raymond VII parvient à se réconcilier avec l'Église. Tout semble remis en cause, d'autant que le pape, craignant une trop forte mainmise capétienne en Languedoc, ne veut plus de croisade. Furieux, vexé, Louis VIII renonce à partir. Devant l'insistance des évêques du Sud, où « l'hérésie » renaît de plus belle, Honorius III fait volte-face. Son légat Frangipani, cardinal de Saint-Ange, réussit à convaincre le roi de revenir sur sa décision. Quand il se présente au concile de Bourges (novembre-décembre 1225), Raymond VII, qui espérait une réconciliation, se fait excommunier. Une nouvelle **croisade, royale** celle-ci, s'abat sur le Languedoc. Le 30 juin, Louis VIII se croise. **Toute la chevalerie française est présente**, et pas question de quarantaine cette fois, le roi de France vient prendre possession de « ses terres ». En grande partie, le Languedoc se soumet sans combattre. Après la défection de ses alliés, Raymond VII se retrouve seul, avec Roger-Bernard de Foix, Raymond Trencavel et de nombreux faidits qui n'ont plus rien à perdre. A **Avignon,** terre d'empire, les bourgeois refusent au roi l'accès de leur ville. Ils capitulent après trois mois de siège, en septembre 1226. **L'effondrement est général.** Seule Toulouse s'apprête au siège. Les événements vont en décider autrement. **Le roi,** malade, décide de rentrer en France, mais **meurt** en Auvergne, sur le chemin du retour, le 8 novembre 1226. Il laisse au sénéchal **Humbert de Beaujeu** le soin de poursuivre la croisade. Blanche de Castille, la régente, lui confirme sa mission. **La guerre se rallume, les bûchers aussi.** Pendant deux ans, sièges, assauts et massacres reprennent. A l'été 1228, **Beaujeu,** brûlant champs et récoltes, **affame Toulouse.** Le Languedoc est épuisé, exsangue. Même des résistants de toujours, comme Bernard et Olivier de Termes, rendent les armes, en novembre 1228. **Blanche de Castille** comprend alors qu'il est temps de récolter les fruits de la croisade et que l'heure de négocier a sonné. Alors que son défunt mari était suzerain de droit du comté de Toulouse, elle accepte d'en reconnaître Raymond VII comme légitime possesseur (et comme vassal de France), s'il marie sa fille unique Jeanne (9 ans) à son fils Alphonse de Poitiers (9 ans), frère de Louis IX (futur Saint Louis). A Meaux, le 12 avril 1229, où il est venu discuter le contrat de mariage, Raymond VII signe en fait un traité politique (**traité de Meaux** ou de Paris) aux **conditions proprement hallucinantes.** Sinon vainqueur, du moins est-il invaincu, et pourtant il s'engage à se soumettre totalement au roi et à l'Église, à combattre « l'hérésie » cathare, à restituer tous les biens de l'Église, à démanteler les défenses de Toulouse et d'une trentaine de places, à livrer la quasi-totalité de ses châteaux, à payer d'énormes dommages et intérêts. Il se plie à tout. Il accepte toutes les clauses et plus encore... même celle qui ampute son comté de plus de la moitié,

L'abbaye de Lagrasse (Aude), la plus célèbre et la plus puissante du comté de Toulouse.

Peyrepertuse (Aude), pris par les armées de Saint Louis en 1240.

Narbonne (Aude) : la cathédrale Saint-Just.

Le site d'Hautpoul, près de Mazamet, dans le Tarn.

même l'obligation de se croiser en Terre sainte, il accepte la prison pour lui, l'expulsion de son épouse de Toulouse. **Flagellé,** humilié sur le parvis de Notre-Dame, comme son père à Saint-Gilles en 1209, il signe la **capitulation sans condition** de tout le Languedoc. Le traité stipule, en outre, qu'à sa mort, le comté de Toulouse reviendra à sa fille Jeanne et son époux, en clair : à la France. Contre la reconnaissance de son titre et quelques années de répit, las, avec ses sujets, d'une guerre épuisante, le vainqueur de Montfort, l'artisan de la reconquête, **sonne de son propre chef et contre toute attente, le glas de l'indépendance occitane.** Le Languedoc, consterné, connaît ensuite une dizaine d'années de paix, relative d'ailleurs. La croisade a asservi les corps. **Reste à asservir les âmes.** L'ordre des Dominicains va s'y employer. Le concile de Toulouse, en novembre 1229, institutionnalise en effet **l'Inquisition.** En avril 1233, Grégoire IX lui confie une véritable mission de « Gestapo » et des **pouvoirs illimités.** Les tribunaux du Saint-Office font leur œuvre. Les Cathares sont recherchés, arrêtés, parfois torturés, jugés... **brûlés.** Beaucoup se réfugient dans les châteaux de la vicomté de Fenouillèdes ou à **Montségur.** Les excès des Inquisiteurs susciteront longtemps encore des révoltes comme à Narbonne, Cordes, Carcassonne, Albi et même Toulouse, où les Dominicains sont expulsés en 1235. A la résistance religieuse s'ajoute un dernier sursaut de l'Occitanie. En 1240, **Raymond Trencavel** se soulève.

Descendue des Corbières, son armée remporte d'abord quelques succès faciles mais échoue devant Carcassonne (octobre 1240) et doit négocier à Montréal. Il se retire en Aragon avec les débris de son armée. Les Français, commandés par Jehan de Belmont, entrent dans le Fenouillèdes. **Peyrepertuse** se rend en novembre 1240. La situation est désespérée. Après une dizaine d'années d'atermoiements, après avoir tenté plusieurs fois, sans succès, de se remarier (un fils aurait rendu caduque, pense-t-il, la clause de succession), **Raymond VII se décide enfin à laver l'affront de Meaux.** Les rois de **Castille**, d'**Aragon**, de **Navarre**, d'**Angleterre** et de nombreux vassaux le soutiennent. Le signal de l'insurrection générale est donné en mai 1242. Partie de Montségur, une petite troupe, dûment renseignée, massacre plusieurs inquisiteurs à **Avignonet.** La réaction de Louis IX est foudroyante. Henri III d'Angleterre est vaincu à Saintes et Taillebourg, en juillet 1242. Louis IX s'apprête à fondre sur le Languedoc. Les alliés de Raymond VII jugent prudent de ne pas intervenir. En janvier 1243, à **Lorris**, près de Montargis, Raymond VII s'agenouille une nouvelle fois devant le roi de France qui pardonne. L'Église, elle, ne pardonne pas Avignonet. Il lui faut détruire définitivement le dernier bastion du Catharisme, le **château de Montségur,** cette « synagogue de Satan », dressé sur son pog, comme un défi. Assiégé par l'archevêque de Narbonne et le sénéchal de Carcassonne, **Montségur résiste près d'un an.** Il succombe en mars 1244. Peu après la chute de ce haut lieu de la foi cathare, un **immense bûcher** est préparé. Plus de **200 martyrs** sont brûlés « dans un enclos fait de pals et de pieux », en un gigantesque holocauste.

Vers 1255, la forteresse de **Quéribus** tombe à son tour. C'est le dernier acte militaire d'une guerre de 45 années dont le coût en vies humaines est estimé à près de **un million de victimes.**

La noblesse a déposé les armes. Certains seigneurs occitans se réfugient à l'étranger, d'autres suivent leurs vainqueurs en Terre sainte. Pendant quelques années, Raymond VII prête même son concours à l'Inquisition (bûcher d'Agen en 1249). Lorsqu'il meurt, la même année, selon les termes du traité de Meaux, Jeanne devient comtesse de Toulouse. A sa mort, sans postérité, en **1271**, le comté de Toulouse est définitivement rattaché à la France. Quant au **Catharisme,** clandestin depuis longtemps, il est **moribond.** Ses derniers adeptes traqués, survivent quelque temps dans les grottes et forêts pyrénéennes ou bien s'exilent en Espagne et en Italie, où mêlés aux Vaudois, ils finiront par se fondre, quelques siècles plus tard, dans le **Protestantisme.** La lente agonie des « Vrais Chrétiens » dure plus d'un siècle.

Au début du XIVe siècle, **Pierre Authié** tentera de réimplanter la foi cathare en Languedoc, mais sans succès. Le dernier parfait dont l'Histoire a retenu le nom, **Guillaume Bélibaste,** meurt sur le bûcher de l'Inquisition. La tradition lui attribue une bien étrange **prophétie :** « **Au bout de sept cents ans reverdira le laurier.** » Cela se passait à Villerouge-Termenès, dans l'Aude... en l'an de grâce 1321.

Depuis quelques années, ésotéristes modernes, spiritualistes, historiens, de toutes tendances, se penchent sur l'histoire, sur les tenants et aboutissants du Catharisme. Certains ont voulu voir chez les Cathares des précurseurs des valeurs républicaines, des héritiers du druidisme celte ou des gnoses antiques. D'autres les ont

Le célèbre clocher de la cathédrale de Rodez (Aveyron).
Monfort soumit la ville en 1214.

Les quatre châteaux de Lastours (Aude) résistèrent à la croisade et servirent,
tout comme Montségur, de « sanctuaires » cathares de 1226 à 1229.

Moissac (Tarn-et-Garonne), détail d'un chapiteau.

comparés aux Templiers, aux alchimistes médiévaux...
Les nazis ont tenté de les associer à leur mythologie. Les
énigmes de **Rennes-le-Château** évoquent leur trésor.
L'aura de mystère qui entoure les « Bons Chrétiens »
est propre à susciter encore bien des recherches. Depuis
longtemps déjà **Histoire et Mythes s'entremêlent et
constituent « la réalité » du Catharisme d'aujourd'hui.**
C'est elle que nous vous convions à découvrir au fil des
pages qui vont suivre. Le Catharisme des XIIe et XIIIe
siècles occitans appartient aux « Bons Chrétiens »
morts sur les bûchers, à ceux qui se disaient aussi
« Amis de Dieu ». Le public qui se presse au pied du
pog de Montségur ne vient pas là par hasard. Il vient y
chercher aujourd'hui, même de façon inconsciente, « **le
message des Cathares** ». Sa venue témoigne, d'une soif
spirituelle réelle. A l'orée du troisième millénaire, chacun, même au travers du prisme déformant de son ima-
ginaire, a droit, nous semble-t-il, de nos jours, à sa
propre démarche, à sa propre **quête du Graal.**

Dordogne

Au-dessus d'une boucle de la Dordogne, le château de Montfort fut détruit en 1214 par Simon de Montfort (simple homonymie) puis maintes fois rebâti.

LE PÉRIGORD : SUR LES MARCHES DU PAYS CATHARE

Sarlat : *saint Bernard et le miracle des pains*

Au XIIIe siècle, la rivière Dordogne marquait la frontière nord du « pays cathare » et les hérétiques étaient nombreux en Sarladais, même si les commentaires de l'époque mêlent sans les distinguer, les dualistes cathares et **« l'hérésie » henricienne.** La situa-tion était assez grave pour que **saint Bernard,** au re-tour de son voyage d'évangélisation dans le Midi, pas-sât par Sarlat, dans les premiers jours du mois d'août 1147, accompagné des évêques d'Ostie et de Chartres. La peste, « châtiment divin », régnait en maître sur la cité périgourdine. Bernard de Clairvaux bénit des pains

L'énigmatique « Lanterne des Morts » de Sarlat, érigée selon la tradition à la suite du passage en 1147 de saint Bernard.

Le château de Montfort, propriété des cruels Cathares Bernard de Cazenac (ou Casnac) et Alix de Turenne.

et les donna aux malades dont un grand nombre fut guéri.

Bernard put ainsi achever triomphalement son voyage qui avait bien mal commencé (cf. **Verfeil**). C'est en souvenir du « miracle des pains » que, selon la tradition, fut érigé sur les lieux mêmes où il s'était accompli, un étrange monument, la tour Saint-Bernard, plus connue sous le nom de **Lanterne des Morts.** Aujourd'hui encore, les historiens se perdent en conjectures à propos de sa construction et de sa destination.

En 1209, les pacifiques débats qui opposaient saint Bernard aux penseurs cathares ont cédé la place à la croisade. Lorsque Simon de Montfort, à la tête de son armée, atteint l'abbaye de Sarlat, il y trouve **150 victimes mutilées** par le sanguinaire Cathare Bernard de Casnac. On parlera encore longtemps des Cathares en Périgord puisqu'en 1217, puis en 1224, le clergé périgourdin se plaindra de la présence « d'hérétiques » dans ses paroisses.

Sarlat, joyau médiéval est un lieu de passage obligé pour tout amateur d'Histoire. Témoin de l'époque cathare, il ne reste guère que le clocher roman de la cathédrale de Saint-Sacerdos dont le portail est surmonté de cinq statues de datation délicate, la chapelle des Pénitents Bleus et, bien sûr, au-dessus des jardins des Enfeus (cimetière médiéval), l'étrange **Lanterne des Morts.** Bâti au XIIe siècle, ce mystérieux édifice, en forme d'obus ou de fusée, est d'un usage inconnu. Son style « oriental », peut-être ramené des croisades, fit orthographier son nom « lanterne des Maures ». Les autres édifices de Sarlat, percée d'un enchevêtrement de ruelles, sont, pour la plupart, d'époques gothique ou Renaissance. Un voyage inoubliable dans le temps. Deux autres édifices sont à

voir : l'église romane de **Temniac** et sa crypte recelant une vierge miraculeuse, et l'église de **La Canéda** du XIIᵉ, ancienne commanderie templière (ou hospitalière) qui montre une croix templière semblable aux stèles discoïdales « solaires » du pays cathare.

Domme, *quand la bastide n'existait pas*

L'origine du château de Domme-Vieille, ou **château du Roi,** se perd dans la nuit des temps. Perché sur son éperon rocheux au-dessus des eaux de la Dordogne, il passait pour imprenable, un des plus forts de la Guyenne. Il aurait appartenu à Bernard de Casnac. Cette forteresse, tenue par les Cathares, fut pourtant abandonnée par ses défenseurs lorsque Simon de Montfort, à la tête des croisés, s'en approcha, en novembre 1214. Les « Français » s'en emparèrent sans combat et en rasèrent le puissant donjon.

La **bastide** de Domme, une des plus belles que le temps nous ait conservées, fut érigée par Philippe le Hardi de 1280 à 1310. Du château du Roi, il ne reste plus que quelques murailles, quelques escaliers, quelques caves. Seule l'imagination peut recréer la formidable forteresse. Au cours de votre promenade « obligatoire » dans les rues de Domme, ne manquez pas de visiter la **porte des Tours** qui servit de 1307 à 1318, de prison aux Templiers du Périgord, frères en spiritualité des Cathares, et qui subirent le même sort qu'eux, un siècle plus tard. Ils couvrirent les murs de leur cachot d'inscriptions et de gravures, « graffiti templiers » qui sont parmi les plus remarquables de France.

Quand Montfort détruisit *Montfort*

Lorsqu'en 1214, les croisés attaquent le Périgord, cette nouvelle guerre semble bien se résumer en un duel entre Simon de Montfort et **Bernard de Casnac** (ou Cazenac). Si la cruauté du chef des croisés n'est plus à démontrer, celle de son adversaire et de son épouse, **Alix de Turenne,** n'avait rien à lui envier. Selon l'abbé Pierre des Vaux de Cernay, auteur de l'« Histoire des Albigeois », Bernard coupait les mains et les pieds et crevait les yeux des hommes qu'il capturait, tandis qu'Alix coupait les seins et les pouces des femmes.

Partant de Domme, Simon de Montfort (originaire de Montfort-l'Amaury) remonta la Dordogne pour attaquer le fief principal de son adversaire : le **château de Montfort.** (Simple homonymie.) Le trouvant vide, lui aussi, il le fit entièrement détruire et précipita les pierres dans les eaux de la rivière. Selon la légende, Simon aurait brûlé Blanche, fille d'Alix et de Bernard, qui, depuis lors, hante les lieux sous la forme d'une flamme.

Le château de Montfort, aujourd'hui reconstruit, s'élève toujours en surplomb sur les eaux, comme bâti dans les airs. Il n'est pas ouvert à la visite, mais le **panorama** du « Cingle de Montfort » mérite un détour.

Beynac : « l'arche de Satan ».

Castelnaud

Poursuivant toujours son introuvable adversaire, Simon de Montfort se dirigea vers une autre de ses possessions, la mieux fortifiée : Castelnaud. Il la trouva vide et y plaça une garnison. Mal lui en prit. Après son départ, Bernard de Cazenac reprendra Castelnaud en 1215 et fera pendre tous ceux qu'il y trouva. En octobre 1215, Simon de Montfort fera une rapide incursion en Périgord pour reprendre Castelnaud et **massacrera ses défenseurs.**

Bernard de Cazenac aura sa revanche puisqu'en 1218 à la tête de 500 cavaliers, il se joindra aux Toulousains assiégés (siège au cours duquel Simon de Montfort trouvera la mort). Pour récompense, Raymond VII lui offrira **Castelsarrasin.** Il restera jusqu'au bout fidèle à sa foi, puisqu'on trouve sa trace, vers 1230, auprès des « parfaits » du Quercy.

L'auteur de la « Chanson de la croisade » nous livre un portrait de Bernard de Cazenac bien différent de ce-

Castelnaud, pris et repris par Simon de Montfort et le Cathare Bernard de Cazenac.

lui trouvé sous la plume de Pierre des Vaux de Cernay. Il y est décrit comme un preux chevalier, généreux qui « dirige Paratge et conduit Vaillance ». Ni ange ni démon mais les deux à la fois, Cathare sincère, tel devait être le seigneur périgourdin.

Émergeant du village ancien, le château de Castelnaud **(ouvert à la visite)** a conservé tout son caractère médiéval. L'énorme forteresse de pierres blondes surplombe la Dordogne et s'ouvre sur un splendide panorama. La base du château remonte à l'époque de Bernard de Casnac, tout comme le haut donjon du XIIᵉ et la partie triangulaire qui le protège. Il fut renforcé au cours du Moyen Age (XIIIᵉ et XIVᵉ). Abritant un **musée de la guerre au Moyen Age,** Castelnaud nous offre un authentique voyage au cœur d'un château fort médiéval.

Beynac, *l'arche de Satan*

Ami du comte de Toulouse, le seigneur de Beynac, **baron du Périgord,** n'était peut-être pas cathare mais son château jouissait d'une mauvaise réputation.

N'était-il pas surnommé l'« arca santana » (l'arche de Satan), appellation qui n'est pas sans évoquer celle de Montségur : la synagogue de Satan. Après la prise de Castelnaud, en 1214, Simon de Montfort l'assiégea, s'en empara et le démantela. Toutefois, il laissa et la vie et le fief aux Beynac, protégés du roi de France.

Beynac, juché en nid d'aigle au-dessus de la Dordogne, est, sans conteste, l'un des plus beaux châteaux de France. **Ouvert à la visite,** il a conservé l'essentiel de son caractère médiéval. Le puissant donjon date du XIIIᵉ, tout comme l'un des deux corps de logis, retouché aux XVIᵉ et XVIIᵉ. Donjon et murailles furent donc rapidement reconstruits après le passage de Simon de Montfort ou, plus vraisemblablement, furent-ils simplement réparés, le démantèlement étant le plus souvent symbolique, et le temps ayant manqué pour raser une aussi formidable forteresse.

Biron : *traîné derrière un cheval*

Les hasards de la politique et de la guerre ont fait de Biron, au sud du Périgord, à la frontière du Quercy, le

Beynac, juché en « nid d'aigle » au-dessus des eaux de la Dordogne.

premier château périgourdin victime des agissements de Simon de Montfort.

Martin d'Algaïs, chef de routiers, seigneur quelque peu brigand, courageux et cruel, chanté par les troubadours, s'était tout d'abord prudemment rallié à la croisade. Avec 20 chevaliers, il participa, au côté de Simon de Montfort, à la bataille de Castelnaudary, en 1211, mais l'abandonna une fois le combat achevé. Pour se venger, Montfort attaqua Biron au cours de l'été 1212. Il prit le village d'assaut, puis assiégea le château. Moyennant la vie sauve pour tous, il obtint que les défenseurs lui livrent Martin d'Algaïs. Celui-ci subit le sort réservé aux traîtres : **traîné derrière un cheval** à travers le camp, il fut ensuite **pendu.** Biron

fut confié à la garde d'Arnaud de Montaigu. Louis VIII rendit le fief aux Gontaut quelques années plus tard.

Exemple rare, sinon unique, le château de Biron **(ouvert à la visite),** baronnie du Périgord, resta pendant 24 générations au sein de l'illustre famille des Gontaut, du XIIe siècle à 1938. Cette pérennité permit de façonner un ensemble architectural harmonieux dans sa diversité, malgré les mélanges de styles et les soubresauts de l'Histoire. Le vieux donjon du XIIe a survécu à toutes les guerres et se souvient encore de Martin d'Algaïs et de Simon de Montfort, tout comme la tour carrée qui garde l'entrée (XIIIe) et l'église romane du faubourg Notre-Dame dans le village.

Lot-et-Garonne

Casseneuil, au cours de l'été 1209, eut à subir le premier bûcher de la croisade.

UN ÉVÊCHÉ CATHARE EN AGENAIS

Gavaudun

A la frontière de l'Agenais et du Périgord, au sud de Biron, dans un site de falaises, se blottit le petit village de **Gavaudun**. Une grotte fortifiée, couronnée par un **château,** servit dès le XIIᵉ siècle de refuge aux « hérétiques » albigeois et henriciens, puis de place forte d'où ils ravagèrent la région pendant une trentaine d'années. A la tête d'une armée, l'évêque de Périgueux s'empara de la forteresse. Aujourd'hui, on peut **visiter** les très beaux restes du château fort, dont le haut donjon du XIVᵉ.

Marmande : ville martyre comme Béziers

A la frontière des possessions anglaises et de celles du comte de Toulouse, la cité de Marmande s'étage sur la rive droite de la Garonne. Elle fut attaquée une première fois, en juillet 1212, par Robert Mauvoisin qui reçut bon accueil de la part des habitants. Les soldats de Raymond VI, enfermés dans le **donjon du château,** capitulèrent sous la menace d'un mangonneau. Au cours de l'été 1214, lorsque Montfort en personne vint l'assiéger, beaucoup s'enfuirent en bateau jusqu'à La Réole. Les

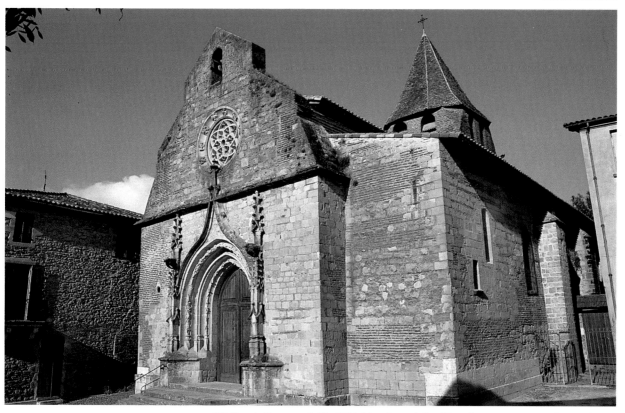

L'église de Casseneuil. En 1214, Montfort prit la ville et fit massacrer toute la population.

croisés pillèrent la ville mais laissèrent la vie sauve à la garnison anglaise. Les fortifications de la cité furent démantelées.

En 1218, après la mort de Simon de Montfort, Marmande rejoignit le camp du comte de Toulouse et reçut des renforts de toutes parts. Au début de 1219, Amaury, fils de Simon de Montfort, marcha à nouveau sur Marmande. Assauts et sièges se succédèrent en vain. Mais lorsqu'à l'appel du pape Honorius III, une nouvelle croisade se leva, commandée par le propre fils du roi de France Philippe Auguste, le **prince Louis** (futur Louis VIII), une énorme armée quitta Paris, le 16 mai 1219, pour atteindre Marmande, le 2 ou le 3 juin. Un terrible assaut fut lancé et, rapidement, les premières défenses succombèrent. Le chef des défenseurs, le **comte d'Astarac** et quelques-uns de ses compagnons, tentèrent une médiation : ils acceptaient de rendre la ville contre la vie sauve pour tous les Marmandais. Les « Français », après bien des hésitations, acceptèrent. C'est alors que s'accomplit l'**odieuse trahison.** Sans que l'on sache d'où venait l'ordre (le prince Louis ? Amaury de Montfort ? ou le fanatique évêque de Saintes ?), l'armée des croisés se précipita sur la ville. Tous, hommes, femmes, enfants, jeunes ou vieux, tous furent passés **au fil de l'épée :** « Les morts, les chairs, le sang couvrent partout le sol. Quel festin pour les chiens et les oiseaux de proie » nous dit la « Chanson de la croisade ». Tous furent massacrés (excepté le comte d'Astarac) et la ville fut livrée aux flammes. La deuxième croisade s'ouvrait à Marmande, comme la première à Béziers, par un gigantesque massacre : **5 000 victimes.**

La vie a repris à Marmande et la cité lot-et-garonnaise compte aujourd'hui 17 000 habitants. De son passé médiéval, elle a conservé peu de traces. L'église Notre-Dame, commencée au XIIIe siècle, ne fut achevée qu'au XVIe (**beau cloître).**

Tonneins, rayée de la carte

Avant le début officiel des hostilités (le sac de Béziers n'intervint que le 22 juillet 1209), la descente des croisés en terre occitane se solda par de nombreuses exactions. Tandis que le gros de la croisade suivait la vallée du Rhône, une armée, dirigée par l'archevêque de Bordeaux et le comte de Clermont et d'Auvergne, s'était formée en Quercy. A la fin du printemps 1209, elle se livra sur Tonneins à un véritable « Oradour-sur-Glane ». La ville fut mise à sac et ses **500 habitants exécutés.** Aujourd'hui, aucune des demeures de cette petite cité de 10 000 âmes n'est antérieure au XVIIe siècle, le roi Louis XIII ayant, lui aussi, fait raser la ville en 1662. Autres temps, mêmes mœurs !

Penne-d'Agenais : porte fortifiée. La ville fut assiégée et prise par Montfort en 1212.

Casseneuil : le premier bûcher de la croisade

Au cours de l'été 1209, les croisés venus du Quercy assiégèrent Casseneuil, près d'Agen, place très fortifiée. Une discorde éclata entre les chefs de l'armée, le comte d'Auvergne s'avérant plus tolérant que l'archevêque de Bordeaux (souvent au cours de cette croisade, les hommes d'Église se montrèrent beaucoup plus fanatiques que les hommes de guerre). La place fut prise et, selon le chroniqueur Guillaume de Tudèle « beaucoup d'hérétiques », hommes et femmes, ayant refusé de se convertir, **furent précipités dans un bûcher.**

Casseneuil fut à nouveau assiégée au cours de l'été 1214. Après avoir pris Marmande, Simon de Montfort, le 28 juin 1214, attaque Casseneuil, principale place de résistance de l'Agenais, dirigée par Hugues de Rovignan, propre frère de l'évêque d'Agen. Le siège dura sept semaines. Montfort installa ses catapultes et bombarda la ville à partir de la colline du **Pech Neyrat** (couronnée de quelques ruines, elle prit, pour longtemps, le nom de château de Montfort). Des duels d'artillerie se succédèrent. Montfort tenta, par deux fois, de lancer un pont roulant sur le fossé large de 25 mètres, mais échoua à chaque tentative. Il entreprit alors de combler une partie des fossés à l'abri d'une tour roulante. **L'assaut** fut donné le 17 août au soir et les croisés prirent pied de l'autre côté des fossés. Le lendemain, ils escaladaient les murs à l'aide d'échelles, provoquant la fuite des routiers adverses. Les troupes de Montfort purent alors aisément investir la ville, l'incendier et **tuer tous les habitants** qu'ils purent trouver. Les murailles de la cité furent ensuite rasées.

Aujourd'hui, la petite ville de 3 000 habitants a conservé un ensemble de maisons à colombages datant de la Renaissance. Dans l'église, les chapiteaux sculptés sont romans et gothiques.

Penne-d'Agenais, la dernière révolte du comte de Toulouse

En 1212, Simon de Montfort décida la conquête de l'Agenais. Le 3 juin, il commença le siège de Penne-d'Agenais commandée par le sénéchal de Raymond VI, gendre du comte de Toulouse, le valeureux guerrier **Hugues d'Alfaro.** Comme d'usage en cas d'attaque, ce dernier fit raser les faubourgs de sa propre ville et s'enferma avec 400 routiers dans son château remarquablement protégé par un site naturel. Échanges de flèches,

Photos du haut et du bas : *La petite ville de Pujols, puissamment fortifiée, vit sa population déportée pour fonder la bastide de Villeneuve-sur-Lot.*

duels d'artillerie, assauts, restèrent vains. La catapulte géante construite sur place put à peine écorner **les épaisses murailles...** et le temps passait. Pressés par la faim, les assiégés expulsèrent femmes et enfants, lesquels furent aussitôt refoulés par Simon de Montfort. Après huit semaines de siège, manquant de vivres et d'eau, craignant d'être massacrés, les soldats d'Hugues d'Alfaro proposèrent, le 25 juillet, de rendre la place contre la vie sauve et la possibilité de partir avec armes et bagages. Montfort prit possession de la forteresse qui resta sa principale base d'action en Agenais.

Longtemps encore, Penne-d'Agenais resta une place forte de premier ordre. Au cours de l'été 1242, le roi de France, peu confiant dans la parole de Raymond VII, prit possession de Penne. Le comte de Toulouse en personne vint tenter de récupérer la place. Après plusieurs mois de siège, abandonné par ses alliés, il dut se résoudre à négocier. La paix fut signée en janvier 1243. Sous les murs de Penne-d'Agenais venait de s'éteindre **la dernière révolte du comte de Toulouse.** Seul Montségur se dressait encore.

La petite ville de Penne-d'Agenais (2 000 habitants), restaurée avec soin, offre un incontestable attrait touristique : ruelles pavées, aux noms surprenants (telle cette rue Bombecul), vieilles maisons toujours bordées de jardinets. La cité qui aurait été fondée par Richard Cœur de Lion (la porte Ricard en tire son nom) a conservé d'**importants restes médiévaux :** remparts, portes fortifiées (Ricard, Ferracap). Au sommet du

Cathédrale d'Agen. La ville était évêché catholique et évêché cathare. En 1249, quatre-vingts « hérétiques » y sont brûlés.

bourg, près du sanctuaire du pèlerinage de Notre-Dame de Peyragude (XIXᵉ), on peut voir les restes émouvants de l'énorme forteresse. Dans la ville, on remarquera la maison du gouverneur et la tour d'Alaric.

Pujols et la naissance de Villeneuve-sur-Lot

Dominant Villeneuve et la vallée du Lot, la petite ville de Pujols (2 500 habitants) est une zone résidentielle appréciée des Villeneuvois, un lieu où il fait bon vivre et flâner. Cette très puissante place forte (elle ne comptait pas moins de trois enceintes) fut un important centre du Catharisme ; c'est la raison pour laquelle son château fort fut démantelé et sa **population déportée**

vers une bastide voisine, fondée en 1264 par Alphonse de Poitiers, nouveau comte de Toulouse (et frère du roi Saint Louis). La belle et prospère bastide de **Villeneuve-sur-Lot** doit donc son existence et son succès à la croisade contre les Albigeois. En plus de leur rôle militaire, politique et économique, les bastides du Sud-Ouest ne révèlent-elles pas, par cet exemple, une nouvelle raison d'être : la lutte contre « l'hérésie » ?

Pujols a conservé l'essentiel de son caractère médiéval et sa visite est des plus charmantes. L'enceinte, percée de portes fortifiées, enserre des demeures des XVᵉ et XVIᵉ, les tours du château et deux églises.

Agen : l'évêché cathare

Agen fut, avec Albi, Toulouse et Carcassonne, le siège d'**un des quatre évêchés cathares** de « France » (plus tard sera créé l'évêché du Razès). En 1167, l'évêque cathare d'Agen et ses trois condisciples participèrent à la rencontre de Saint-Félix-Lauragais où ils reçurent le *consolamentum* du « pape » bogomile Nicétas. Déjà, en 1114, Robert d'Arbrissel, le grand fondateur d'abbayes, était allé prêcher contre « l'hérésie » dans la cité agenaise. La ville d'Agen elle-même fut **épargnée par la croisade.** Il est vrai qu'elle était le siège d'un évêché catholique. En 1212, l'évêque d'Agen lui-même, Arnaud de Rovignan, frère du chef des Cathares de Casseneuil, demanda à Montfort d'investir son territoire.

Riche ville marchande, forte de ses deux évêchés (cathare et catholique), Agen sut préserver la paix sur son sol. Aucune armée ne la pilla. Elle eut pourtant à subir, après la fin de la guerre, les affres de l'Inquisition. En 1249, peu de temps avant sa mort (survenue le 27 septembre) le versatile comte de Toulouse, Raymond VII, fit **brûler 80 Cathares** à **Barleiges.**

Aujourd'hui, préfecture du Lot-et-Garonne et capitale du rugby, Agen, cité de 33 000 habitants, n'a conservé qu'assez peu de traces du Moyen Age, les beaux hôtels de la Renaissance et du XVIIᵉ ayant souvent remplacé les immeubles plus anciens (maison du sénéchal, du XIVᵉ, percée de fenêtres gothiques).

Le musée des Beaux-Arts ne manque pas d'intérêt, entre autres pour ses collections médiévales. Le témoin le plus direct de l'époque cathare reste **la cathédrale Saint-Caprais** fondée au XIᵉ siècle. Son abside, flanquée de trois absidioles du XIIᵉ, s'orne de modillons sculptés représentant des animaux et des têtes humaines.

Hautes-Pyrénées

Le château de Lourdes résista victorieusement à Montfort, au cours de l'hiver 1216.

Lourdes

Au début du XIIIᵉ siècle, le **château de Lourdes,** propriété du comte de Béarn, est une des principales places fortes de la Bigorre. Afin d'affirmer son autorité sur cette région des Pyrénées, Simon de Montfort conçoit le projet de marier son second fils, Guy, à Pétronille de Comminges, veuve de Gaston VI, vicomte de Béarn qui vient d'épouser Nuño Sanche, cousin de Pierre d'Aragon. Le clergé de Gascogne, tout dévoué à Simon de Montfort, annule le mariage et, le 16 novembre 1216, est célébré, à **Tarbes,** celui de Guy et Pétronille. Nuño Sanche, avec le comte de Béarn, Guillaume-Raymond de Montcade et de solides renforts, s'enferment dans le château de Lourdes que Simon et Guy s'empressent d'atta-

quer. Après trois semaines de siège, sous les intempéries, loin de ses bases, **Simon de Montfort doit renoncer.** C'est ainsi que fut stoppée à Lourdes, la poussée la plus occidentale des croisés en Occitanie.

Aujourd'hui, après les apparitions de la Vierge à Bernadette Soubirous (1858) et la découverte d'une source miraculeuse, Lourdes est devenue le plus important centre de **pèlerinage** de la chrétienté. Toutefois, il reste à découvrir, dressé sur son rocher, sur l'emplacement de la forteresse qui tint en échec Simon de Montfort, le **château fort** de Lourdes, très largement remanié au cours des siècles. Il montre un haut donjon carré à mâchicoulis du XIVᵉ, ainsi que d'impressionnantes fortifications : remparts, (plus de un kilomètre), courtines, pont-levis, tours de défense...

Lot

Rocamadour : saint Bernard, saint Dominique et Simon de Montfort vinrent y prier.

LE QUERCY ET LES BANQUIERS DE LA CROISADE

Gourdon, Saint-Cirq-Lapopie : l'Inquisition triomphante en Haut-Quercy

La jolie cité médiévale de **Gourdon,** voisine du Périgord, vit, en 1241, son seigneur, le **troubadour Bertrand I**er de Gourdon, inquiété par les inquisiteurs Pierre Celani et Guilhem Arnauld pour avoir aidé les Cathares. Il ne fut pas le seul, l'Inquisition prononça cette année-là **232 condamnations** pour la seule ville de Gourdon.

Dans la vallée du Lot, **Saint-Cirq-Lapopie,** sculptée dans le prolongement de la falaise, est considéré par beaucoup comme **le plus beau village de France.** Des trois châteaux féodaux qui surplombaient le Lot, il ne reste quasiment rien, mais la visite du village aux splendides demeures médiévales laissera, à n'en pas douter, un impérissable souvenir. Cette **triple seigneurie** ne fut pas sans poser quelques problèmes lors de la croisade.

Les Cardaillac se rallièrent au comte de Toulouse, tandis que les La Popie et les Gourdon s'allièrent à Simon de Montfort. En 1251, un des seigneurs, Bernard de Castelnau, fut condamné par l'Inquisition à la prison perpétuelle pour avoir favorisé les hérétiques.

Rocamadour, sous le signe du Graal

Haut lieu de la foi, Rocamadour fut, après celui de Saint-Jacques-de-Compostelle, le plus important **pèlerinage** d'Occident. D'après une tradition chrétienne, il aurait été une des caches du Graal, apporté par Zachée, pseudonyme d'Amadour. **Saint Bernard** vint y prier en 1147. La réputation du pèlerinage s'amplifia en 1166, avec la découverte du corps momifié de Zachée-Saint-Amadour. Les plus grands saints et les monarques les plus prestigieux de l'époque vinrent s'y recueillir, parmi lesquels Henry II Plantagenêt (1170), **saint Dominique,** Saint Louis (1244), Alphonse de Poitiers, Philippe le Bel (1303). En 1211, Montfort accompagne les croisés allemands à Rocamadour. Pourquoi ce voyage mystérieux sans conquête ni soumission ? On peut penser que Montfort vint à Rocamadour chercher l'**étendard béni** qui, l'année suivante en 1212, mettra en fuite les troupes sarrasines à la célèbre bataille de **Las Navas de Tolosa** (Amaury, son fils, participa à ce combat).

L'approche de Rocamadour est déjà porteuse de sensations fortes. Le plateau désertique du Causse s'effondre brutalement sur une **faille gigantesque** de 150 mètres de profondeur sur 350 mètres de largeur. On découvre alors, accrochés à la falaise « les maisons sur le ruisseau, les églises sur les maisons, les rochers sur les églises, le château sur les rochers ». La ville basse a conservé quatre portes fortifiées et ses maisons anciennes. Un grand escalier conduit aux lieux saints, aux **sept sanctuaires** de Rocamadour. La chapelle miraculeuse Notre-Dame, écrasée par une chute de rocher, fut reconstruite en 1479. Elle abrite la célèbre **Vierge noire** de Rocamadour, œuvre naïve, difficile à dater (Xe-XIIe siècle), à laquelle on attribue de nombreux miracles. La visite du musée d'Art sacré est à ne pas manquer.

Cahors, rivale de Toulouse

Aujourd'hui, petite préfecture de 22 000 habitants, Cahors fut au Moyen Age **une des plus grandes villes de France,** ne comptant pas moins de neuf paroisses et 40 000 habitants. Rivale de Toulouse, elle se libérera en 1090 de la tutelle du comte de Toulouse, et son évêque prendra alors le titre de comte et baron de Cahors. Puissance politique et ecclésiastique, elle verra naître en 1245, **Jacques Duèze,** issu d'une famille de banquiers. Évêque de Porto en 1313, il devint, en 1316, le 194e pape de la chrétienté et le 2e d'Avignon, sous le nom de Jean XXII. Cité marchande qui commerce avec toute l'Europe et l'Orient, Cahors est aussi la première place bancaire du royaume. **Les banquiers** lombards et, à partir de 1196, les Templiers, prêtèrent aux rois, aux papes, aux nobles et aux marchands. Pendant des années le nom de « Caorsins » resta synonyme d'usurier et Dante, dans sa « Divine Comédie », placera en Enfer les « enfants de Gomorrhe et de Cahors ». Nul ne s'étonnera donc d'apprendre que Cahors fut **le principal financier de la croisade** et que le soutien indéfectible de l'évêque de Cahors au pape et au roi valut au Quercy, pourtant « infesté d'hérétiques », une paix relative.

Montcuq : Beaudouin de Toulouse, qui avait trahi son frère Raimon VII y fut enfermé avant d'être pendu à Montauban.

En 1147, **saint Bernard,** venu parler contre « l'hérésie », visita la ville. En 1211, Simon de Montfort fut reçu à Cahors avec tous les honneurs. La population cadurcienne ne devait pas toujours partager l'opinion de son évêque. En 1214, le légat du pape, le cardinal Robert de Courçon se vit refuser l'entrée de la ville. Mais le légat sut faire respecter son autorité. Après être rentré dans la cité, il exigea que **les portes** en soient **brûlées** et qu'on lui verse 1 500 livres d'amende.

La capitale du Quercy mérite une visite détaillée. La **cathédrale Saint-Etienne,** remarquable église-forteresse, fut édifiée au XIe siècle. Sa nef, que coiffent deux puissantes coupoles, est la plus vaste d'Europe. Le portail, sculpté en 1135, est surmonté d'un **splendide tympan** représentant l'ascension triomphale du Christ. A l'ouest, l'ancien évêché abrite le musée de Cahors, aux intéressantes collections médiévales. Non loin, le plus célèbre monument de la ville, **le pont Valentré,** surmonté de trois tours, est considéré comme le plus beau pont fortifié d'Europe. Il fut édifié en 1308.

Luzech *et* Puy-l'Évêque

Enfermée dans une boucle du Lot, la petite ville de Luzech constituait une place forte bien défendue. En 1209, son seigneur, Amalvin, étant cathare, **Guillaume de Cardaillac**, évêque de Cahors, s'empara de la place qui devint propriété épiscopale. Luzech mérite toujours une visite pour son **haut donjon carré** du XIIᵉ.

La ville forte du Puy, dans la basse vallée du Lot, ayant rallié le parti albigeois, fut prise, en 1227, par l'évêque de Cahors, Guillaume de Cardaillac, et devint Puy-l'Évêque, **cité épiscopale**. De cette époque elle a conservé son donjon carré du XIIIᵉ.

Castelnau-Montratier

Bien que protégé par son évêque, le Quercy subit quelques incursions de la part de Montfort, surtout dans le sud du département. Ainsi, il faut savoir que Castelnau-Montratier, dont le seigneur l'avait trahi, fut entièrement détruite par le chef des croisés, en 1214. **Ratier Iᵉʳ** fit alors édifier, au-dessus de l'ancien village, une bastide qui présente encore quelques témoignages de cette époque.

Montcuq, *la capture de Beaudouin, frère du comte de Toulouse*

Au sud du Lot, Montcuq, à forte implantation cathare et vaudoise, et qui avait reçu sa charte de Raymond VI, prit tout naturellement le parti occitan. Le 1ᵉʳ juin 1212, Montfort s'empara de la place forte désertée par ses défenseurs et en fit don à Beaudouin, demi-frère du comte de Toulouse, rallié aux croisés. Le 17 février 1214, **Beaudouin de Toulouse** se rendit au château de **Lolmie** (commune de Saint-Laurent-Lolmie, ruines du château XIIIᵉ), au sud de Montcuq. Après un bref combat, il fut arrêté par Ratier de Castelnau (pourtant allié de Montfort), Bertrand de Mondenard et le seigneur de Montpezat. Conduit à Montcuq et privé de nourriture, il refusa d'ordonner à ses soldats, enfermés dans le donjon de se rendre. La garnison française se rendit pourtant moyennant la vie sauve. Le chroniqueur assure qu'elle fut aussitôt massacrée. Beaudouin, emmené à Montauban, fut pendu sur ordre de son frère. Seul, reste du château, le **donjon** du XIIᵉ siècle est **ouvert à la visite.** Haut de 24 mètres, il est flanqué d'une tourelle d'escalier.

Le pont Valentré, orgueil de Cahors. Les banquiers cadurciens financèrent la croisade contre les « Juifs et les Cathares »

Tarn-et-Garonne

Bruniquel, assiégée par Montfort en 1211, vit la trahison de Beaudouin, frère du comte de Toulouse.

LE QUERCY BLANC À FEU ET À SANG

Moissac pleure la ruine de son abbaye

Aux XIe et XIIe siècles, l'**abbaye clunisienne** de Moissac, paréage du comte de Toulouse, jouissait d'un immense rayonnement artistique et spirituel sur le sud de la France et la Catalogne. En 1212, Raymond VI fit occuper la ville par son armée et l'abbé dépossédé rejoignit la croisade. Le 13 août 1212, 300 routiers toulousains vinrent renforcer la défense de Moissac, une des trois places fortes avec Castelsarrasin et Montauban verrouillant le nord de Toulouse. Le 14 août, l'armée de Montfort encercla Moissac, que protégeaient un rempart et une palissade, et commença à **bombarder la ville.** A maintes sorties des routiers répliquèrent de nombreuses contre-attaques des croisés. Le neveu de l'archevêque de Reims, fait prisonnier par les Moissagais, fut massacré et dépecé. Des catapultes envoyèrent les morceaux de son corps dans le camp des croisés. En septembre, ayant reçu des renforts, Montfort prépara l'assaut. A l'abri d'une « chatte » (abri sur roues), ses hommes comblèrent le fossé et levèrent un plan incliné

à hauteur de la palissade. Les Moissagais mirent le feu à la « chatte » et **blessèrent Montfort** lui-même, tuant son cheval d'un carreau d'arbalète. Trop tard. La palissade forcée obligea les Moissagais à se replier derrière les murailles de la ville. Les catapultes de Montfort ne tardèrent pas à ouvrir une brèche. A l'annonce de la reddition de Castelsarrasin, les Moissagais parlementèrent et obtinrent la vie sauve contre rançon et la livraison des **300 soldats** toulousains. Ceux-ci furent saisis de force et livrés aux croisés qui **les massacrèrent tous.** Le 8 septembre, Montfort entra dans Moissac et malgré ses promesses **pilla la ville et l'abbaye,** dévastant le splendide monastère. L'abbaye ne s'en releva jamais. Après les affres de la guerre, Moissac connut celle de l'Inquisition. En 1234, les inquisiteurs Guillaume Arnaud et Pierre Seila firent **brûler 210 Cathares,** un des plus grands holocaustes d'Occitanie. La foi cathare devait être bien vive car, en 1241, l'Inquisition dut encore prononcer 95 condamnations.

La visite de Moissac (12 000 habitants) s'impose à tout amoureux de l'art médiéval. Le **porche** et le **cloître** de son église abbatiale sont considérés comme les plus achevés de l'art roman. Le vaste cloître aux 76 arcades fut achevé en 1100. Endommagée par les croisés, sa partie haute fut restaurée en 1260. C'est le plus ancien et sans conteste le plus beau des cloîtres décorés que les siècles ont conservés. Sur les colonnes d'angle, huit apôtres, les « piliers de l'église », sont présentés deux à deux. A l'est du cloître, l'ancienne salle capitulaire est devenue un musée d'art religieux et la chapelle gothique, un musée lapidaire.

Le clocher-porche fut élevé au tout début du XIIe siècle. Profondément enfoncé dans le mur, le **portail,** surmonté de son **célébrissime tympan** est considéré comme le sommet de l'art sacré. Il servit de modèle à une multitude d'autres édifices et sa découverte provoque un choc indicible. Le tympan illustre le « Jugement des Nations » dans l'Apocalypse de saint Jean, où sont révélées les actions humaines et la volonté divine. Au centre, le **Christ,** imposant monarque, véritable « Dieu de majesté » est encadré du Tétramorphe. Sur les côtés et au-dessous, **24 vieillards** couronnés, une viole et une coupe de parfum à la main, tournent leur regard vers le Christ, comme éblouis par sa gloire. Le trumeau

En pages précédentes : *Le cloître de Moissac, considéré comme le plus achevé de l'art roman, fut endommagé par les croisés lors du siège de 1212.*

Moissac : double chapiteau. Moissac connut les horreurs de la guerre : 300 soldats massacrés en 1212, 210 Cathares brûlés en 1234.

(pilier central) porte de vigoureux lions entrecroisés, véritables cerbères gardant l'entrée du saint lieu. Sur ses faces latérales sont sculptés saint Paul et **Jérémie** dont l'attitude souple annonce déjà l'art gothique. Près du cloître, le palais abbatial du XIᵉ et XIIIᵉ abrite le Musée moissagais d'Art et de Traditions populaires. Une chapelle romane recèle une peinture datée de 1200, présentant la généalogie du Christ. En parcourant Moissac, on peut encore découvrir l'**église Saint-Martin,** la plus ancienne de la ville, bâtie au VIIᵉ siècle ; elle fut ruinée par les croisés et restaurée aux XIVᵉ et XVᵉ siècles.

Castelsarrasin

Une des trois places fortes qui commande l'accès nord de Toulouse, Castelsarrasin fut une cité cathare, comme l'atteste la présence de parfaits, en 1204 et 1206. Au cours de l'été 1212, alors que Montfort assiégeait Moissac, le défenseur de Castelsarrasin, le valeureux **Guiraud de Pépieux,** abandonna la ville, probablement à la demande de la population qui redoutait un nouveau Béziers. Les bourgeois proposèrent leur soumission à Montfort qui offrit la place à Guillaume de Contres. Au printemps 1228, **Raymond VII** entreprit la reconquête de son comté et assiégea Castelsarrasin. Rapidement, la ville fut prise et les troupes royales s'enfermèrent dans le donjon du château. Aussitôt, **Humbert de Beaujeu,** cousin de Louis VIII, accompagné de 600 soldats et assisté de l'archevêque de Narbonne et des évêques de Toulouse, Carcassonne et Bourges, prit le comte à revers. Ainsi, les croisés assiégeaient la ville où se trouvait Raymond VII qui, lui-même, assiégeait les croisés dans le château de Castelsarrasin. Finalement, Humbert de Beaujeu renonça au siège et se retira. Les Français du donjon, à cours de vivres, se rendirent contre la vie sauve. Raymond VII donna la ville à son lieutenant, le Périgourdin Bernard de Cazenac.

De nos jours, Castelsarrasin (12 000 habitants) n'a pas conservé beaucoup de traces de cette époque. Seule, son **église Saint-Sauveur** remonte aux XIIIᵉ et XIVᵉ siècles.

Montauban, *fidèle à Toulouse*

Capitale du Quercy Blanc, éternelle ville rivale de Cahors, Montauban est une des plus anciennes bastides de France, créée par le comte de Toulouse **Alphonse Jourdain,** en 1144. Les hérétiques pullulaient dans la patrie du parfait **Bernard de Lamothe,** brûlé à Toulouse en 1233, et l'on comptait plus de Vaudois que de Cathares. Guillaume de Tudèle, l'auteur de la « Chanson de la croisade » y résida en 1211. Pivot de la défense toulousaine, c'était une ville remarquablement fortifiée, Montfort n'osa pas l'attaquer en 1212 et préféra l'isoler.

Après son arrestation, le 17 février 1214 à Lolmie, près de Montcuq, **Beaudouin de Toulouse** qui avait trahi son frère Raymond VI, fut conduit à Montauban. Le comte de Toulouse le condamna au châtiment des traîtres ; il **fut pendu** à un noyer. Selon la tradition, la croix expiatoire, placée devant l'église de Saint-Orens, marque le lieu de son exécution. Après la chute de Toulouse, Montfort pénétra dans Montauban, le 8 juin 1215. Au début de 1218, dans Montauban toujours fidèle au comte, la révolte grondait. **Montfort** y **fit prendre des otages** et menaça de les exécuter en cas de soulèvement. A l'appel des Montalbanais, Raymond VI envoya 500 hommes armés qui pénétrèrent de nuit dans la ville et assiégèrent le quartier général des croisés. Ceux-ci se dégagèrent et mirent les assaillants en fuite et, en représailles, pillèrent et brûlèrent la ville. Mais les Montalbanais restèrent toulousains de cœur. En 1220, ils se rallièrent à Raymond VI qui donna la place à Raymond-Roger de Foix.

De son passé de bastide, la préfecture du Tarn-et-Garonne (53 000 habitants) a conservé son plan en damier, centré sur la place Nationale (reconstruite au XVIIᵉ). De l'époque médiévale, il faut voir son **pont-vieux,** bâti

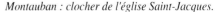

Montauban : clocher de l'église Saint-Jacques.

Montauban : le Pont-Vieux et l'ancien palais épiscopal, qui abrite le musée Ingres.

Ci-dessous : *Bruniquel, vestiges du château. Le troubadour Guillaume de Tudèle, auteur de la « Chanson de la croisade », y résida.*

entre 1303 et 1316 et l'église Saint-Jacques du XIIIe siècle, surmontée d'un clocher octogonal en briques. Il ne faut pas manquer de visiter le **musée Ingres,** dans l'ancien palais épiscopal, lui-même bâti sur l'ancien château fort. Vous y découvrirez non seulement les œuvres du célèbre peintre mais aussi des salles consacrées à l'archéologie régionale (collections médiévales).

Verdun-sur-Garonne : le massacre des Juifs

En 1114, près de Verdun-sur-Garonne, fut fondée l'**abbaye de Grandselve** (aujourd'hui disparue), qui sera la « mère » de la presque totalité des abbayes cisterciennes du midi de la France. Le redoutable Arnaud-Amaury, légat du pape en 1209, en fut l'abbé pendant trois ans. En 1212, après la chute de Moissac et de Castelsarrasin, Montfort envoya son frère Guy et Beaudouin de Toulouse conquérir Verdun qui se soumit sans résistance. Un siècle après la croisade, la **révolte** des **Pastoureaux**, véritable perversion de l'idéal de pureté des Cathares et des Vaudois, ensanglanta le Midi. Les Pastoureaux massacrèrent les nobles, les prêtres, les riches... et les Juifs. (Déjà la croisade n'avait-elle pas

été lancée contre les Cathares et les **Juifs** ?) En 1230, dans une tour du château de Verdun, **500 Juifs** furent massacrés par les Pastoureaux.

Au sud de Montauban, Verdun-sur-Garonne est à présent une petite ville de 2 500 habitants qui a conservé son caractère de **village fortifié :** tour de l'Horloge (XIIIe-XVIIe) remparts, quartier médiéval de la Bastide.

Bruniquel : vue générale.

Ci-dessous : *Saint-Antonin-Noble-Val. En 1212, après de violents combats, Montfort renonça à faire exécuter la population.*

Bruniquel : *la trahison de Beaudouin de Toulouse*

Au printemps 1211, alors que Raymond VI et son frère Beaudouin étaient à Bruniquel, Montfort fit mouvement pour les assiéger. Raymond ayant décidé de fuir, Beaudouin lui demanda de délier les chevaliers de Bruniquel de leur serment et de mettre la place et son château sous sa protection. Que se passa-t-il entre les deux hommes ? Une chose est sûre, Raymond accepta et quitta le château après l'avoir fait piller. A l'arrivée de Montfort, **Beaudouin** fit sa **soumission** et rallia la croisade. Jusqu'à sa mort, Bruniquel resta sa « capitale de guerre ». Vers 1212-1213, c'est à Bruniquel que **Guillaume de Tudèle,** sous la protection de Beaudouin, écrivit la « Chanson de la croisade », une des plus importantes sources historiques de ce temps.

Au débouché des **gorges de l'Aveyron,** bâtie en à-pic sur la rivière, Bruniquel occupe un site exceptionnel. Ses vieilles demeures, son beffroi, ses murs et ses portes fortifiés semblent dominés par la lourde masse de la **forteresse**, fondée, selon Grégoire de Tours, par la reine Brunehaut au VIe siècle. Le château, **ouvert à la visite,** est édifié sur des assises de cette époque. Les autres bâtiments s'échelonnent du XIIe au XVe. On peut voir l'imposant donjon carré du XIIe qui porte le nom de tour de Brunehaut et la salle des chevaliers, des XIIe et XIIIe siècles, ornée de colonnes.

Saint-Antonin-Noble-Val

Au printemps 1211, Saint-Antonin se soumit à Montfort sans combat, puis à la fin de l'année, passa dans le camp de Raymond VI. Le 20 mai 1212, les croisés campaient devant Saint-Antonin. Des combats d'une extrême violence leur permirent d'occuper trois barbacanes. La tradition attribue cet assaut à des « **bourdonniers** » (pèlerins) armés de pierres et de bâtons. Terrifiés, les habitants s'enfuirent par la rivière, mais ceux qui échappèrent à la noyade furent, pour la plu-

Saint-Antonin-Noble-Val : l'ancien hôtel de ville, édifice du XIIᵉ siècle.

Les gorges de l'Aveyron.

part, massacrés par les croisés. Montfort ayant obtenu une reddition sans condition, hésita à exécuter tous les habitants. Il y renonça mais pilla la ville et emprisonna à Carcassonne le chef de guerre Adémar Jourdain et ses chevaliers. Notons qu'en 1212, Guillaume de Tudèle résida à Saint-Antonin.

Au cœur des gorges de l'Aveyron, la ville fortifiée de Saint-Antonin-Noble-Val a conservé l'essentiel de son caractère médiéval. Au hasard de ses ruelles pittoresques aux charmantes demeures des XIVᵉ, XVᵉ et XVIᵉ siècles, on remarquera particulièrement l'ancien hôtel de ville du XIIᵉ et son beffroi, et la **maison Bibal** (ou du Roy), du XIIIᵉ, aux têtes sculptées.

Laguépie

Si le village de Laguépie appartient au Tarn-et-Garonne, les ruines du château de Laguépie (XIIIᵉ et XVIIᵉ) se dressent sur l'autre rive du Viaur, dans le Tarn (commune de Saint-Martin-Laguépie). Au printemps 1211, Simon de Montfort s'empara de Laguépie sans résistance, mais la citadelle rejoignit le camp de Toulouse quelques mois après. Au printemps 1212, **Montfort,** de retour, ayant trouvé Laguépie abandonnée par ses défenseurs, **fit brûler** et **détruire** la place.

Caylus

En 1176, Caylus était fief de Raymond V de Toulouse. Au début de l'été 1211, Montfort, en route pour Rocamadour, attaqua le château et brûla les faubourgs de la ville. En 1212, il occupa le château.

Splendide petit village médiéval, à l'abri de son donjon du XIIIᵉ, reste du château, Caylus mérite une visite. On remarquera la halle du XIVᵉ et la plus belle demeure de la ville la **maison des Loups,** du XIIIᵉ qui porte des gargouilles à l'effigie de cet animal. L'église Saint-Jean-Baptiste, du XIVᵉ montre un clocher et des vitraux du XVᵉ (à l'intérieur : Christ de Zadkine).

Caylus : vue générale.

Aveyron

Séverac-le-Château, assiégé par Simon de Montfort au cours de l'hiver 1214.

RAIDS EN ROUERGUE

Najac, capitale du Rouergue

Sur son promontoire rocheux, dans les gorges de l'Aveyron, à la frontière du Tarn-et-Garonne, Najac est d'une **saisissante beauté.**

Najac fut fondée vers 1100 par **Bertrand de Saint-Gilles,** fils du comte de Toulouse Raymond IV, qui en fit la capitale administrative du Rouergue. Elle comptait alors 2 000 habitants (quelque 800

aujourd'hui). En juin 1214, Montfort s'empara de Najac, probablement abandonnée par ses défenseurs et démantela la place forte. Après le traité de Meaux, Alphonse de Poitiers, nouveau comte de Toulouse, fit renforcer la place, et les habitants du village, considérés comme hérétiques furent condamnés à rebâtir l'église (Najac était la patrie du fameux Vaudois **Durand de Najac**).

La cathédrale de Rodez. Sous la pression de l'évêque, le comte de Rodez, Henri Ier, prêta serment de fidélité à Montfort.

Le vieux village, avec sa place à arcades du XVe, montre des demeures anciennes, telle cette maison du sénéchal (XIVe), et une fontaine armoriée datée de 1344. L'église gothique du XIIIe s'organise autour d'une nef unique soutenue par de puissants contreforts. Dominant le village, **ouvert à la visite**, le **château**, des XIIe et XIIIe, présente deux donjons, l'un carré, l'autre circulaire et quatre tours flanquant l'enceinte. La chapelle castrale s'orne de peintures murales du XIIIe.

Morlhon : un bûcher de Vaudois

Décrit par le chroniqueur comme « merveilleusement fort et presque inaccessible », le **château de Morlhon** s'opposa à l'avance des croisés lors de leur raid de l'été 1214, mais ses défenseurs durent rapidement se soumettre. **Sept Vaudois** trouvés dans le château, furent sur-le-champ jugés par le légat du pape, Robert de Courçon, puis... **brûlés.** Le château fut dé-

truit. Le Rouergue était terre de Vaudois qui n'étaient pas des « hérétiques » au sens strict du terme mais de simples « schismatiques » qui prêchaient, entre autres, la pauvreté. Mais l'Église ne s'embarrassa pas de telles subtilités et leur fit subir le même sort qu'aux Cathares.

Au nord du Rouergue, près du Lot, on peut encore voir, sous le nom de **« château des Anglais »,** les ruines du château de Morlhon, toutes chargées du souvenir du martyre des Vaudois.

Séverac-le-Château : aux portes du Gévaudan

Aux sources de l'Aveyron, à la limite du Rouergue et du Gévaudan, s'élèvent les ruines de la puissante **forteresse** de Séverac, dont le seigneur **Déodat III,** était apparenté aux Turenne et à la couronne d'Aragon. A l'automne 1214, après son passage à Rodez, Montfort mit le cap à l'est vers le château de Séverac « infesté de routiers perturbateurs de la paix et de la foi ». Guy de

Montfort, parti en avant-garde, s'empara sans difficulté des faubourgs du village, les habitants ayant préféré se retrancher dans la forteresse. Simon arriva en novembre et, pendant deux semaines, les adversaires échangèrent des tirs de catapulte. Le 30 novembre, durement éprouvés par le **froid des hauts plateaux** en ce début d'hiver, les deux camps transigèrent. Déodat conserva une partie de ses domaines et, par la suite, Simon de Montfort lui rendit sa forteresse.

La petite ville de Séverac (3 000 habitants) a conservé de nombreuses demeures anciennes (XVe et XVIe) et un prieuré roman. Au-dessus du bourg, on peut **visiter** les **vastes ruines** du château féodal. Une enceinte polygonale flanquée de tourelles enserre un logis du XVIIe au portail monumental.

Millau : le destin de Pierre II d'Aragon

Millau étant fief du roi d'Aragon, en 1204, Raymond VI et Pierre II d'Aragon se rencontrèrent en cette ville. Le roi espagnol, en échange d'un prêt, engagea Millau aux côtés du comte de Toulouse et les deux hommes signèrent un **pacte d'assistance** en cas de guerre. C'est au nom de ce pacte que le comte de Toulouse, des années plus tard, demandera l'aide de Pierre II d'Aragon contre la croisade, et à cause de lui, aussi, que ce vaillant chevalier trouvera la mort à la bataille de Muret en 1213.

Au sud du Rouergue, au débouché des **gorges du Tarn,** Millau (22 000 habitants), a conservé un charme pittoresque. La place centrale (place du Maréchal-Foch) s'encadre encore d'arcades (XIIe au XVIe siècle). On peut y voir une pierre, vestige de son pilori. Dans la rue Droite, le beffroi montre une tour carrée du XIIe. Vers le Tarn, la porte des Gozons (ou Pozous), du XIIIe est une ancienne porte fortifiée. On remarquera encore les vestiges du pont-vieux du XIIe et dans l'église, les peintures murales d'une chapelle datées du XIIIe.

Millau, fief de Pierre II, roi d'Aragon.

Tarn

Penne-d'Albigeois résista à la croisade jusqu'en 1229.

LE PAYS DES ALBIGEOIS

Penne-d'Albigeois, *l'indomptable*

L'existence du château fort de Penne-d'Albigeois est attestée dès le XIᵉ siècle. La région devait être favorable au Catharisme car sa châtelaine se fit parfaite. Longtemps, les armées ennemies croisèrent au large de ses remparts sans oser l'attaquer. Au printemps 1212, **Guy de Montfort,** partant soutenir son frère au siège de Penne... d'Agenais, affronta les défenseurs albi-

geois. Un chevalier croisé fut tué et, selon Pierre des Vaux de Cernay, son corps fut déterré par les Occitans et laissé en pâture aux bêtes. Malgré les raids et les combats, Penne résistait toujours. Le traité de Meaux, en 1229, en fit une forteresse royale. Penne étant toujours en **rébellion**, Raymond VII dut s'engager à l'assiéger et laissa des gages en attendant le succès de l'opération.

A peine entr'aperçue, l'image de Penne-d'Albigeois se fixe à jamais dans la mémoire : une ruine vertigineuse, comme bâtie dans les nuages, en surplomb d'une falaise dominant les eaux de l'Aveyron, au plus profond de ses **gorges.** Le village fortifié a gardé des restes de remparts et de belles demeures à colombages aux portes sculptées. L'église Sainte-Catherine, gothique, montre un chevet fortifié. Les **ruines du château** ont conservé le châtelet et le donjon des XIIIe et XIVe et la chapelle castrale d'époque romane.

Puycelsi

Par deux fois, en juin 1211 et mai 1212, Montfort occupa Puycelsi sans combat. En mai 1213, Puycelsi et Penne restaient les deux bastions occitans en Albigeois. Guy de Montfort et Beaudouin de Toulouse assiégèrent la place. Les croisés bombardèrent la citadelle tout en subissant les attaques des routiers toulousains. Ils furent assaillis par Raymond VI lui-même, accompagné des comtes de Foix et de Comminges. Une sortie des défenseurs ayant été repoussée par une **charge de cavalerie,** Raymond VI et son armée se retirèrent. Puycelsi, désormais seule, tenait toujours. Ne pouvant soumettre la place, Guy de Montfort dut se résoudre à conclure un pacte de « neutralité ».

Bâti sur une plate-forme rocheuse, au-dessus de la Vère, à l'ouest de la vaste forêt de Grésigne, Puycelsi a conservé ses **remparts** flanqués de **tours** des XIVe et XVe siècles. Une promenade dans ses ruelles vous permettra de découvrir de vieilles demeures.

Cordes-sur-Ciel, *la bastide cathare*

S'il est un village qui témoigne encore de son passé cathare, c'est bien la bastide de Cordes, **chef-d'œuvre de l'art gothique**, « ville aux cent ogives », citadelle des arts, que **fonda Raymond VII**, le 4 novembre 1222, alors qu'il venait juste de reconquérir son comté. Son architecture, parfaitement conservée, porte témoignage de cette époque d'espoir, espoir qui transparaît jusque dans son nom. Cordes rappelle qu'elle était une ville de **tisserands**, nom que l'on donnait aux Cathares du Sud-Ouest, car les parfaits affectionnaient particulièrement ce métier. Grâce aux énormes avantages fiscaux qui attirèrent une population nombreuse, la bastide s'édifia très vite. Dès 1225, on notait la présence de « Chevaliers » de Cordes et de plusieurs parfaits. Parmi eux, se trouvait le fameux **Sicard de Figueras** qui fut « fils mineur » de l'évêque cathare d'Albi avant d'abjurer vers 1242-1244 et de se mettre au service de l'Inquisition. En 1227, **Humbert de Beaujeu,** cousin de Louis VIII, en compagnie de Philippe de Montfort et de 2 000 hommes, entreprit une « chevauchée » jusqu'à Cordes où il passa trois jours.

Les ruines du château de Penne-d'Albigeois, suspendues au-dessus des gorges de l'Aveyron.

Puycelsi résista aux croisés et signa un pacte de neutralité avec Montfort.

Cordes : vue générale de la bastide.

Ci-contre : *Cordes : porte fortifiée. Cette ville de tisserands abrita de nombreux parfaits.*

La paix revenue, Cordes retrouva sa prospérité fondée sur la culture du chanvre et du lin, et, pour les teintures, de la garance et du pastel. C'est à cette époque que furent érigés les beaux hôtels de la ville. La présence d'hérétiques entraîna un regain d'activité de l'**Inquisition,** sous la houlette du féroce évêque d'Albi, Bernard de Castenet. A partir de 1320, il ne semble plus y avoir eu de Cathares à Cordes et, le 19 juin 1321 les consuls et la population demandèrent leur pardon aux inquisiteurs et durent, en signe de pénitence, ériger une chapelle. Légende ou vérité, le **massacre d'inquisiteurs** en 1233 ? peu importe, l'histoire est néanmoins solidement ancrée dans la mythologie cathare. Trois dominicains ayant brûlé vive une vieille femme pour cause d'hérésie, auraient été massacrés par la population qui traîna leurs cadavres dans les rues, avant de les **précipiter dans le puits.** En châtiment, le pape aurait excommunié tous les habitants.

Perchée au sommet du Puech de Mordagne, Cordes occupe un site remarquable au-dessus de la vallée du Cérou. Autrefois, entourée de deux enceintes, elle montre encore un chemin de ronde et **quatre portes,** deux à chaque bout de la rue principale, ce qui permettait de doubler la défense : porte du Planol et de Rous, porte de la Jane et des Ormeaux, cette dernière étant encadrée de deux tours. Plus tard, la cité s'étant agrandie, deux enceintes furent ajoutées dont il subsiste une barbacane (XIIIe) et la porte de l'Horloge. C'est en remontant la grand-rue que vous découvrirez les plus beaux édifices de Cordes. Tout d'abord, à droite, à l'intérieur de la porte de Rous, le **musée Charles-Portal** qui renferme, parmi d'autres trésors médiévaux, le « libre ferrat », livre ferré contenant les règlements de la ville de la fin du XIIe au XVIIe siècle. On découvre ensuite la

maison du Grand Fauconnier, aux belles ogives et à la façade sculptée de motifs animaliers et humains (à l'étage musée consacré au peintre Yves Brayer). A côté, se trouve l'antique maison Prunet. Dans ses caves, en 1866, fut découvert un manuscrit du XIIIe « Les sorts des apôtres », sorte de « jeu de hasard » assez hermétique où certains ont voulu voir une pratique hérétique. Presque en face, on découvre la **halle** aux 24 piliers (XIVe) et le **fameux puits,** où auraient été précipités les inquisiteurs. Une croix de fer du XVIe rapporte l'événement. Le puits est d'une profondeur exceptionnelle (114 m). En continuant à remonter la rue, on découvre, sur la gauche, la **maison du Grand Veneur,** une des plus anciennes et, assurément, une des plus belles du village. Sa façade est entièrement sculptée de scènes de chasse où l'on distingue, piqueur, chiens, sangliers, lièvres, archers, etc. Les sculptures montrent encore des scènes familiales ainsi que deux têtes qui représenteraient Raymond VII et son épouse, à qui l'on attribue la construction de l'édifice. Enfin, presque au

Le puits où, selon la tradition,
furent jetés trois inquisiteurs en 1233.

bout de la rue, avant la porte de la Jane, se dresse la superbe **maison du Grand Écuyer,** ornée d'une tête de cheval et de diverses autres sculptures (scènes de la vie quotidienne, animaux fantastiques, etc.). Dans une rue parallèle, on découvrira l'**église Saint-Michel** dont le cœur et le transept datent du XIIIe. Du sommet du clocher, on jouit d'un vaste panorama sur Cordes et ses environs.

Saint-Marcel, *la ville détruite*

En juin 1211, après la fuite de ses défenseurs, les croisés s'emparèrent de Saint-Marcel. Quelques mois plus tard, la ville se rebella et rejoignit le camp de Raymond VI qui plaça à sa tête le fameux chevalier Guiraud de Pépieux. Au début de l'année 1212, le légat Arnaud Amaury envoya les croisés assiéger Saint-Marcel qui reçut le soutien des comtes de Toulouse, de Foix et de Comminges. Les croisés n'étaient que 100 contre 500 assiégés. Pendant un mois, bombardements, at-

Albi : le palais épiscopal de la Berbie.
Bien qu'elle ait donné son nom aux Albigeois,
la ville n'eut pas à souffrir de la croisade.

taques et contre-attaques se succédèrent, en vain. Le 23 mars 1212, **Simon de Montfort** renonça au siège, mais il revint en avril-mai, trouva le bourg sans défense et, malgré les supplications des bourgeois, **brûla la ville** et rasa donjon et remparts. Située à quelques kilomètres au nord-est de Cordes, la commune de Saint-Marcel-Campes ne se remit jamais de ce désastre et fut supplantée par la bastide de Cordes à partir de 1222.

Albi, *éponyme des Albigeois*

Bien qu'elle ait donné son nom aux Albigeois contre lesquels fut lancée la croisade (le terme « cathare » est une dénomination toute récente), Albi resta fidèle au pape tout au long du conflit. Toutefois, les « hérétiques » étaient fort nombreux dans sa région. Le 28 mars 1145, **saint Bernard** y faisait déjà un prêche triomphal contre les thèses hérétiques. A l'automne 1209, les croisés entrèrent librement dans Albi, pourtant fief des Trencavel, mais que **l'évêque Guillaume Peyre** tenait d'une poigne de fer. Désireuse d'éviter tout combat sur son sol, elle prêta serment aussi bien à Raymond VII lorsqu'il triomphait, qu'à Louis VIII en 1226. La paix revenue, la ville fut pourtant livrée aux griffes des inquisiteurs Arnaud Cathala et Guillaume Pellisson. Ce dernier nous a laissé des « Chroniques ». Zélateurs passionnés, ils **exhumaient les cadavres** des hérétiques, pratique courante à l'époque, pour les livrer aux flammes « purificatrices ». Le 15 juin 1234, Guillaume Pellisson fut chassé du cimetière, molesté, et ne dut son salut qu'à une main secourable. Ils ne brûlaient pas que des morts. En 1237, le parfait **Arnaud Giffre** monta sur le bûcher.

La visite d'Albi-la-Rouge, préfecture du Tarn (50 000 habitants) ne manque pas d'intérêt. A ne pas manquer, près du Tarn, que traverse le pont-vieux (XIe), l'ancien **palais épiscopal de la Berbie,** commencé en 1265, qui renferme le musée Toulouse-Lautrec, et, surtout, l'extraordinaire **cathédrale Sainte-Cécile,** chef-d'œuvre gothique, débutée en 1282 pour marquer le triomphe de l'Église romaine sur « l'hérésie » cathare. Le clocher est, en fait, un donjon fortifié rendu aérien par des ajouts du XVe. A l'intérieur, **le plus grand jubé** de France qui dissimule bien les symboles. Le vaste chœur s'orne de piliers sculptés, sommet de l'art gothique.

Lagrave, *la méprise des bannières*

Située entre Gaillac et Albi, sur les bords du Tarn, Lagrave fut occupée par les croisés en mai 1211. A la fin de l'année, l'ensemble de l'Albigeois se souleva contre l'envahisseur. Les habitants de Lagrave, après avoir décapité d'un coup de hache le chef de la place, le chevalier Pons de Beaumont, envahirent le château et massacrèrent la garnison. **Beaudouin de Toulouse,** le

*Albi : cathédrale et palais épiscopal. Les inquisiteurs brûlèrent des cadavres « d'hérétiques »,
et le parfait Arnaud Giffre.*

frère du comte, passé dans le camp français, marcha sur Lagrave. A la vue des bannières de Beaudouin, rouges à la croix d'or, identiques à celles de son frère, les habitants, trompés, sortirent de la ville pour fêter celui qu'ils croyaient être Raymond VI. Beaudouin fit charger ses soldats et tuer un grand nombre de villageois. En 1227, Lagrave fut à nouveau assiégée par l'armée d'Humbert de Beaujeu.

Gaillac, *citadelle des vignes*

Propriété du comte de Toulouse depuis le Xe siècle, Gaillac se livra aux croisés sans résistance en mai 1211 et, à la fin de l'année, commit la même méprise que Lagrave à la vue des **bannières de Beaudouin.** Elle devint, par la suite, une des principales places fortes de Raymond VI et de son fils. En mai 1212, elle fut prise par les routiers de Martin d'Olite qui la mirent à sac.

Entre Albi et Toulouse, au milieu de ses vignobles, Gaillac, petite ville de 10 000 habitants, mérite un détour pour son abbatiale Saint-Michel (Xe-XIIIe), ses nombreuses maisons à colombages, sa tour de Palmata (XIIIe) et son musée compagnonnique.

Rabastens, *« nid d'hérétiques »*

Dès 1204, on signale à Rabastens la présence de parfaits dont la mère et deux sœurs du seigneur **Pelfort de Rabastens.** Une grande partie de la famille seigneuriale est suspectée d'hérésie, situation bien gênante car l'évêque de Toulouse n'est autre que Raymond de Rabastens (il sera « limogé » par le pape Innocent III). Rabastens, véritable « nid d'hérétiques », servit de **ville refuge** aux Cathares jusqu'en 1211. En mai 1211, l'arrivée des croisés entraîna la fuite des « croyants » et des chevaliers et ce sont des bourgeois qui livrèrent la ville. Par deux fois en 1212, Montfort dut reprendre Rabastens qui ne cessait de choisir le camp occitan. A l'automne 1213, Guy de Montfort pénétra à nouveau dans une cité déserté par ses habitants.

Entre Gaillac et Toulouse, Rabastens (4 000 habitants) a conservé une partie de ses remparts, d'anciennes demeures du XVe et XVIe et, surtout, une **église-forteresse,** Notre-Dame-du-Bourg, édifiée au XIIe siècle, dont on remarquera le portail aux chapiteaux sculptés, les peintures murales des XIIIe et XVIe et les vitraux du XIVe.

Lombers, *un débat contradictoire*

Au sud d'Albi, en mai ou juin 1165, se déroula à Lombers une réunion contradictoire entre Catholiques et Cathares (et non à Lombez dans le Gers comme on l'a longtemps cru). L'évêque cathare d'Albi, **Sicard Cellerier** y résidait et « l'hérésie » y fleurissait. Dans le camp catholique, on trouvait les évêques d'Albi, de Toulouse, de Nîmes, de Lodève, d'Agde, l'archevêque de Narbonne, huit abbés et plusieurs seigneurs. Le débat visait à piéger les Cathares pour démontrer leur **hérésie**, mais ceux-ci surent apporter des réponses prudentes tout en affirmant leur foi. A leur tour, ils dénoncèrent les richesses des ecclésiastiques, les traitant de « **loups dévorants** » et chacun d'accuser l'autre d'hérésie. Dès cet instant, la guerre semblait inévitable. A l'automne 1209, malgré un **complot des 50 chevaliers** de Lombers, Montfort obtint la soumission du bourg. Les chevaliers se révoltèrent et capturèrent la garnison française. La place désertée fut reprise en 1210 puis rasée.

Lavaur, *le plus grand bûcher de la croisade et le martyre de dame Giralda*

Dès 1181, Lavaur, siège de l'**évêque cathare** de Toulouse, où « le diable avait établi sa demeure et dont Satan avait fait sa synagogue » connut une « pré-croisade ». La ville fut prise après quelques combats, mais devint très vite un centre actif du Catharisme sous la conduite de son seigneur, lui-même croyant. En 1211, Lavaur, devenu le refuge de très nombreux croyants et parfaits, reçut le renfort d'**Aimery de Montréal,** frère de la châtelaine, **Giralda de Laurac,** et de 80 chevaliers faidits (vassaux privés de leurs fiefs pour fait de Catharisme). En mars 1211, Montfort entreprit un siège long et difficile. Comme souvent, l'arme la plus efficace fut une « chatte » (abri sur roues) qui permit le franchissement du fossé. Les défenseurs percèrent un souterrain pour tenter de l'incendier, mais ils furent enfumés par les croisés. Le 3 mai, une brèche fut ouverte dans la muraille (une rue porte le nom de **rue de la Brèche**) et, alors que les croisés investissaient la place avec une froide et systématique cruauté, **Foulques,** l'évêque de Toulouse entonnait, accompagné de tout son clergé, un « Veni creator » d'une hallucinante irréalité. Ce fut un **massacre** « **à froid** », savamment calculé qu'ordonna Simon de Montfort. Aimery de Montréal et ses 80 chevaliers, considérés comme des traîtres, furent **pendus ;** « jamais dans la chrétienté si haut baron ne fut pendu avec tant d'autres chevaliers à ses côtés ». La potence ne tuant pas assez vite, certains furent égorgés. Giralda, capturée, désignée comme « horrible hérétique » et incestueuse, fut livrée aux soudards, **violée,** puis « criant, pleurant, hurlant », elle subit devant la foule horrifiée un atroce supplice. « Elle est poignets liés, **jetée au fond d'un puits** et l'on couvre son corps d'un tombereau de pierres ; on fait là grand péché, car jamais de sa vie un pauvre ne la vit sans recevoir d'aumône » (« Chanson de la croisade »). Quant aux parfaits et parfaites, ils furent jetés dans un **bûcher** « avec une joie extrême ». **400** selon Guillaume de Tudèle, 300 selon Guillaume de Puylaurens ; ce fut **le plus grand bûcher de la croisade.** En 1220, juste retour des choses, pourrait-on dire, Raymond le Jeune prit d'assaut le château de Lavaur et y massacra tous les défenseurs.

La visite de Lavaur (8 000 habitants), qui conserve des vestiges de ses remparts (tour des Rondes) vous mènera devant la **cathédrale Saint-Alain,** massive église de brique, reconstruite en 1254, après avoir été détruite en 1211. Une promenade à travers les rues vous fera découvrir des demeures anciennes avant de vous conduire sur la **place du Plô** où s'élevait le château (rasé en 1622). Sous vos pieds, dans le sous-sol percé de souterrains, se trouve le puits où repose à jamais Giralda de Lavaur.

Lavaur : la cathédrale Saint-Alain
fut reconstruite après le siège de 1211
qui vit le massacre de quatre-vingts chevaliers
et le martyre de Giralda de Laurac.

Castres : vieilles demeures sur l'Agout. Un Cathare, jeté par Montfort sur un bûcher, fut miraculeusement sauvé des flammes.

Montgey, *les croisés massacrés*

Au sud de Lavaur, le château de Montgey (XVe-XVIe), qui montre encore des fortifications du XIIe, était connu comme place cathare. En avril 1211, tandis que Montfort assiège Lavaur, un puissant renfort de **croisés allemands et frisons** (1 500 à 5 000 hommes) fut surpris par Raymond-Roger de Foix et Guiraud de Pépieux aux abords du château de Montgey et **entièrement massacré.** Montfort qui occupa Montgey juste après la prise de Lavaur, assista au « miracle » d'une **colonne de feu** courant sur les cadavres (feu de Saint-Elme ?). Il brûla le village et détruisit le château.

Puylaurens, *et les « nids d'hérétiques » du sud du Tarn*

A l'ouest de Castres, Puylaurens abrita, avant 1209 et jusqu'en 1229, des maisons de parfaits (communautés cathares). La noblesse locale était croyante et accueillait avec ferveur les sermons de Guilhabert de Castres. Montfort l'occupa en 1211 et 1212. La patrie de Guillaume de Puylaurens, l'auteur de « La croisade des Albigeois » montre encore des restes de fortifications et les ruines de son château. Entre Castres et Toulouse, **Saint-Paul-Cap-de-Joux** reçut la visite de saint Bernard en 1145. S'y trouvaient « maisons » et cimetière cathare. Ce fut le siège des évêques cathares de Toulouse à partir de 1217, avec Gaucelin, et jusqu'en 1229, avec Guilhabert de Castres. Le château de **Roquefort** était une « maison » cathare. L'hérésie des châtelains remontait à quatre générations. 300 Cathares y trouvèrent refuge à l'arrivée des croisés en 1209. A partir de 1270, il fut une étape pour ceux qui voulaient fuir en Lombardie. Entre Sorèze et les Cammazes, il n'en subsiste que la **tour de Malemort,** au bord d'un ravin de la Montagne Noire.

Castres, *le miracle du feu*

En 1209, Castres se soumit à Simon de Montfort. Deux Cathares (un parfait et un novice), arrêtés, furent condamnés au bûcher par Montfort lui-même, malgré les supplications du novice qui désirait abjurer. Attaché sur un bûcher avec son compagnon, ses liens se rompirent aux premières flammes et on le vit sortir sain et sauf de cette « purification ». Castres ne connut aucun combat mais donna le jour à deux grandes figures du Catharisme : Ermengarde de Castres dite « la belle Castraise » et le très célèbre parfait **Guilhabert de**

Stèle discoïdale d'Hautpoul, au musée Cathare de Mazamet.

Ci-dessous : *ruines du château d'Hautpoul,
pris par Montfort en 1212.*

Castres, évêque cathare de Toulouse. Si les vieilles maisons au bord de l'Agout ne manquent pas de charme, Castres (47 000 habitants) n'a rien gardé de son passé roman, sauf une tour de l'hôtel de ville et, dans le musée, une rarissime colombe cathare.

Hautpoul-Mazamet

Le 11 avril 1212, Montfort attaqua la forteresse d'Hautpoul, érigée par les **Wisigoths** et réputée imprenable. Après de durs combats, au bout de quatre jours, les assiégés, à la faveur du brouillard, quittèrent la place par les souterrains. Montfort tua les derniers défenseurs et fit **incendier le château.** Hautpoul redevint un centre actif de « l'hérésie », devenant même le siège de l'évêque cathare d'Albi, Jean de Collet, vers 1240. Après la croisade, en contrebas d'Hautpoul, fut fondée la ville du Mas-d'Arnette, future **Mazamet.** Hautpoul, aujourd'hui ville morte, présente les restes de ses enceintes, de ses maisons, de son château et de son cimetière cathare.

Dans Mazamet (13 000 habitants), il faut visiter le **musée Cathare** qui abrite une bibliothèque, un diaporama et une très belle stèle discoïdale trouvée à Hautpoul.

Haute-Garonne

Avignonet, ou les inquisiteurs Guillaume Arnaud et Étienne de Saint-Thibéry furent assassinés, sur ordre de Pierre-Roger de Mirepoix.

AU CŒUR DE L'OCCITANIE

Avignonet, le massacre des inquisiteurs

Tout au long du XIIIᵉ siècle, Avignonet se distingua par la présence nombreuse et publique, puis clandestine, de Cathares et de parfaits. Au printemps 1212, Montfort prit la ville d'assaut. En 1242, les inquisiteurs **Guillaume Arnaud** et Étienne de Saint-Thibéry sévirent en Lauragais, où ils allumèrent une trentaine de bû-

chers. En mai, ils établirent leur base au château d'Avignonet. Le 27 mai, une petite troupe quitta Montségur, sous les ordres de Pierre-Roger de Mirepoix, chef militaire du château, et s'introduisit le lendemain dans Avignonet avec la complicité de Ramon d'Alfaro, bayle de la cité. Tous les inquisiteurs et leur suite, surpris dans leur sommeil, **furent massacrés à coup de hache.** A

Pierre-Roger de Mirepoix, qui avait demandé qu'on lui ramène la tête de Guillaume Arnaud pour en faire un hanap, son ami Guillaume Azéma aurait répondu : « **Votre coupe est brisée.** » Ce « raid de commandos » décida le roi de France à en finir définitivement avec Montségur.

Au sud-est du département, dominant l'autoroute Toulouse-Carcassonne, Avignonet-Lauragais, qui comptait 5 000 habitants au Moyen Age, n'en compte plus guère qu'un millier aujourd'hui. A l'entrée du village, le « **Croisé d'Avignonet** », austère statue de pierre, vous accueille, le regard sévère, comme s'il vous soupçonnait d'avoir participé au massacre des inquisiteurs. Face à lui, à l'entrée du cimetière, se dresse une stèle discoïdale « cathare ». Le village montre encore des restes de remparts, une tour et une **massive église** de grès, érigée en 1385, dont la flèche gothique se voit de loin, et qui recèle un tableau peint en 1631 : « Les martyrs d'Avignonet reçus au ciel. »

Le croisé d'Avignonet, symbole d'un temps où il n'était pas permis « d'accéder au ciel » par le chemin de son choix.

Saint-Félix-Lauragais : le « concile cathare » reçoit le « pape » Nicétas

Au nord-est d'Avignonet, Saint-Félix-Lauragais, autrefois **Saint-Félix-de-Caraman,** entra dans l'histoire en 1167, avec la tenue du premier concile cathare auquel participèrent des « Albigeois » français, des patarins lombards, ainsi que l'évêque hérétique de Constantinople, **Nicétas,** qualifié de « pape » bogomile. Cette présence atteste l'influence des Églises bulgare et dragovitsienne sur le Catharisme, et son rapport avec le Bogomilisme. Lors de cette réunion, furent désignés les **évêques cathares** de Toulouse, Albi, Carcassonne et Agen et l'on procéda au découpage de leur diocèse respectif. Par la suite, Saint-Félix fut pris plusieurs fois par Simon de Montfort. Transformé en bastide au XIIIe, Saint-Félix-Lauragais a conservé de nombreux témoignages du Moyen Age : du XIVe son église au haut clocher, sa halle, son logis collégial (salles voûtées et souterrains du XIIe) et le donjon de son château (salle des gardes romane).

Au nord-ouest de Saint-Félix, **Caraman,** diaconé cathare, fut un haut lieu de « l'hérésie ». Ses seigneurs y fréquentaient plusieurs « maisons » cathares. Guiraude de Caraman fut brûlée à Montségur et le parfait Arnaud Garrigue, à Toulouse. **Saint Bernard** y prêcha en 1147 et **saint Dominique** en 1206. En 1241, un inquisiteur y fut assassiné et, dit-on, précipité dans un puits.

Verfeil, « que Dieu te dessèche »

Fin juin 1145, **saint Bernard** se rendit à Verfeil, « nid d'hérétiques » entièrement gagné aux théories des Cathares et d'Henri de Lausanne. On refusa de l'écouter et il fut conspué par la foule. Alors saint Bernard lança sa **malédiction** sur la ville : « Verfeil, que Dieu te dessèche », prophétie que se chargea de réaliser la croisade. En 1207, **saint Dominique** vint y débattre de la nature du Christ avec plusieurs parfaits. Verfeil, diaconé cathare à l'est de Toulouse, montre encore ses portes Vauraise et Tholozenque.

Au nord du département, sur le Tarn, **Villemur** (5 000 habitants) montre encore une tour de défense des XIIIe et XIVe siècles. C'était un diaconé cathare qui abritait plus de 100 parfaits. En juin 1209, alors que la croisade quercynoise s'approchait de Villemur, les habitants incendièrent eux-mêmes leur cité, puis se réfugièrent à Lavaur. Le parfait **Bernard de Lamothe,** fils majeur de l'évêque de Toulouse, vécut à Villemur de 1223 à 1226.

Toulouse, capitale occitane

Déjà capitale gallo-romaine, puis wisigothe, Toulouse demeura, après la guerre d'Aquitaine, au VIIIe siècle, la grande métropole d'un pays vaste et libre, le

Détails du portail de l'église Saint-Sernin de Toulouse.

*La statue de Clémence Isaure,
protectrice des troubadours ésotéristes (Toulouse).*

comté de Toulouse, dont le territoire s'étendait de l'Agenais à Avignon. **Carrefour de civilisations,** où se côtoyaient Chrétiens, Juifs, Musulmans, de toutes origines et de toutes provenances, Toulouse s'affirmait au Moyen Age comme **une des plus grandes villes d'Occident.** Libre, administrée par des **Capitouls** (consuls) sous le regard bienveillant des comtes de Toulouse, elle était, en outre, le foyer d'une société féodale qu'animait le **Paratge** (honneur et tolérance), une ville d'échanges et de culture où fleurissait l'art des **Troubadours.** La cour toulousaine du XIIe siècle reste l'exemple le plus accompli de ce que fut la civilisation du Moyen Age. Si, dès 1022, un premier bûcher d'hérétiques fut allumé dans la ville, le concile de Toulouse en 1056 témoigna de la tolérance de la population. Toulouse fut même le siège d'un évêché cathare. Au cours de l'hiver 1209, alors que tout le pays tremblait aux récits des massacres français, bien que directement menacé, **Raymond VI refusa de livrer les Cathares** de sa ville. Un an et demi plus tard, le 16 juin 1211, les croisés affrontaient Raymond VI, Raymond-

Roger de Foix et 500 chevaliers au pont Montaudran, sur l'Hers. Quelque 200 morts de part et d'autre mais les défenseurs furent repoussés dans la ville et se retranchèrent derrière l'enceinte que renforçait une **cin-**

Toulouse : l'église des Jacobins.

*La cathédrale Saint-Étienne,
bâtie pendant le premier siège de Toulouse.*

quantaine de tours de défense. Une première sortie du comte de Foix fit une centaine de morts dans chaque camp. Le 27 juin, **Hugues d'Alfaro** parvint à ravager le camp des croisés qui levèrent le siège, deux jours plus tard. L'année suivante, Montfort se consacra à réduire toutes les places fortes autour de Toulouse, qui se trouva bientôt isolée, à la fin de 1212. Raymond VI demanda l'aide de **Pierre II d'Aragon** lequel entra dans la ville en janvier 1213. Mais les armées toulousaines et aragonaises furent vaincues. La terrible **bataille de Muret**, en septembre 1213, et la mort du roi d'Aragon, entraînèrent la soumission de Toulouse. Montfort dut attendre 1215, le concile de Latran et les décisions des « princes de ce monde » pour entrer dans « sa » ville et prendre le titre de comte de Toulouse. En septembre 1216, la révolte de Raymond le Jeune, à partir de la Provence, souleva la population toulousaine. Montfort fit piller sa propre ville par ses soldats mais les combats furent si rudes qu'il dut s'enfermer dans le **Château Narbonnais** (emplacement de l'actuel palais

de justice). La ville fut incendiée. L'évêque Foulques promit le pardon et les Toulousains rendirent les armes. Montfort ne tint pas parole (ce n'était pas la première fois). Il fit arrêter les fauteurs de troubles, déporter une partie de la population, raser plusieurs maisons et piller ce qui restait. Il supprima également les libertés municipales.

Un an plus tard, tandis que Montfort guerroyait en Provence, le 13 septembre 1217, Raymond VI entra triomphalement dans Toulouse. Français et « collaborateurs » furent promptement lynchés par la population. Les survivants se réfugièrent au Château Narbonnais aussitôt assiégé. Le 8 (ou le 15) octobre, Simon de Montfort campait devant Toulouse et entreprenait de reconquérir « sa ville ». Le **grand siège** débutait. Un gigantesque assaut fut repoussé avec force pertes. Les croisés furent chassés du faubourg Saint-Cyprien et Montfort, précipité dans l'eau, manqua de se noyer dans la Garonne. En prévision d'un long siège, les croisés bâtirent une véritable ville : « Toulouse Nouvelle ». En novembre et décembre 1217, les Toulousains bombardèrent le Château Narbonnais pour en détruire les tours. Des combats sanglants eurent lieu dans le **Champ Montaulieu,** devenu « le périlleux verger ». Les prisonniers furent mutilés, torturés, exécutés. L'hiver figea la bataille sur ses positions. Les combats reprirent, aux environs de Pâques 1218, par une sortie massive des Toulousains qui causa de nombreuses victimes. Le 20 mai, on se battit furieusement pour la possession des ponts sur la Garonne. On assista à de véritables **batailles navales.** On s'étripa à nouveau le 2 juin. Peu après, Raymond VI reçut un renfort de marque en la personne de son fils, Raymond le Jeune, le futur Raymond VII, jeune chevalier de 21 ans, tout auréolé de sa victoire de Beaucaire. Montfort voulait en finir et décida d'une grande bataille qui débuta le 24 juin. L'énorme « chatte » destinée à combler les fossés, fut atteinte plusieurs fois par les boulets toulousains. Le 25 juin, un intense combat s'engagea sur le pré Montaulieu, combat terrible où chacun prit tour à tour l'avantage. Le dénouement était fort

Cloître des Augustins (Toulouse).

Portail d'entrée de l'église Saint-Sernin (Toulouse).

incertain. **Montfort** pria en ces termes : « **Jésus-Christ, accordez-moi aujourd'hui de mourir sur le terrain ou d'être vainqueur** » puis il se lança dans la mêlée. Le Très-Haut crut bon, ce jour-là, d'exaucer sa prière. Comme il secourait son frère Guy, blessé, une pierre, tirée d'un mangonneau, le frappa à la tête, le **tuant net.** Selon la tradition, l'engin meurtrier était manié par des femmes. Cette mort paralysa l'armée entière. Le 25 juillet, sous les ordres d'Amaury de Montfort, elle brûla son camp de « Toulouse Nouvelle » et se replia. Simon de Montfort, le chef des croisés, bourreau de l'Occitanie mais grand chevalier, quoi qu'on en dise, fut inhumé dans la cathédrale de Carcassonne. Du 17 juin au 1er août 1219, Toulouse fut à nouveau assiégée par le prince Louis, sans résultat. En 1228, la troisième croisade, sous les ordres d'Humbert de Beaujeu, ravagea la région. En 1229, le traité de Meaux mit fin au conflit. La guerre avait brisé les corps, l'**Inquisition** se chargea de briser les esprits. Le 5 août 1234 l'évêque de Toulouse, Raymond de Fauga

Stèle commémorant la bataille de Muret, le 13 septembre 1213 au cours de laquelle fut tué Pierre II, roi d'Aragon.

En pages précédentes : « *Toulouse fortifie ses remparts pour résister à Simon de Montfort (1218)* ».
C'est au cours de ce siège que fut tué Simon de Montfort, le crâne fracassé par un boulet.
Tableau de J.-P. Laurens au Capitole de Toulouse.

se rendit au chevet d'une vieille femme mourante. Il se fit passer pour un parfait. La malade se livra à lui. Déclarée hérétique, **elle fut portée dans son lit, sur un bûcher, et brûlée vive.**

Préfecture de Haute-Garonne et métropole de la région Midi-Pyrénées, Toulouse (400 000 habitants) est aujourd'hui une cité active, grouillante de vie, où « l'Espagne pointe un peu sa corne ». La ville rose, où la brique a servi tous les styles architecturaux, a été rebâtie maintes fois, et il nous faut chercher quelque peu les divers témoignages de l'époque cathare. La **basilique Saint-Sernin,** commencée en 1080, fut achevée vers 1350. Elle est surmontée d'un haut clocher de 5 étages. On remarquera particulièrement les sculptures de la porte des Comtes (et les sarcophages des comtes

de Toulouse) et celles de la porte Miègeville. A l'intérieur, le transept s'orne de peintures romanes et la crypte, de sculptures du XIᵉ. Non loin, le musée archéologique Saint-Raymond occupe les locaux de l'ancien collège du XIIIᵉ. On visitera également l'église et le **couvent des Jacobins** érigés à partir de 1230 pour les Frères Prêcheurs, dont l'ordre fut fondé par saint Dominique en 1215. Le **Capitole** (hôtel de ville) a conservé un donjon du XIIᵉ. On peut y voir la statue de Clémence Isaure, inspiratrice et protectrice (peut-être légendaire) des troubadours ésorééistes des XIVᵉ et XVᵉ siècles. La **cathédrale Saint-Étienne** fut construite pendant le premier siège de Toulouse. L'interruption des travaux explique le décalage entre les styles du chœur et de la nef. A visiter : le **musée des Augustins** (couvent du XIVᵉ) où se trouvent de remarquables sculptures médiévales. De ses fortifications, Toulouse montre encore la tour Mauran (XIIᵉ) et des restes de murailles (boulevard A.-Duportal). Au 56 de la rue du Taur, la maison Maurand rappelle qu'elle appartint à un hérétique converti en 1178. Il reste à voir l'église Notre-Dame-du-Taur (XIVᵉ, fortifiée), les demeures médiévales du Vieux Quartier, avec, au n° 15 de la rue Croix-Baragnon, la plus vieille maison de Toulouse, du XIIIᵉ et, au 7 de la rue de l'Inquisition (!), la **maison de Peire Seila** offerte à saint Dominique en 1215, et qui devint le siège de l'Inquisition toulousaine.

Muret, la mort du roi d'Aragon

Propriété des comtes de Comminges, depuis 1139, Muret fut investie par Simon de Montfort en 1212 et devint sa base d'action pour l'encerclement de Toulouse. **Pierre II d'Aragon,** allié à Raymond VI, vola au secours des Toulousains. Le 10 septembre 1213, les armées des comtes de Toulouse, Comminges et de Foix et celle du roi d'Aragon et ses 1 000 chevaliers, en tout **20 000 à 40 000 hommes,** campaient devant Muret. Montfort, à la tête des croisés, accourut défendre les assiégés. Cette bataille aurait dû voir l'écrasement des croisés, dix fois moins nombreux, et la libération de l'Occitanie. Mais la **tactique** et la **ruse** de Montfort, une fois de plus, allaient prévaloir sur la vaillance des alliés. Le 13, s'engagea une bataille rangée avec en première ligne le roi d'Aragon et sa chevalerie. Conscient de leur infériorité, il semble que les croisés aient lancé une véritable action de commando pour repérer, capturer ou tuer le roi. Avisant un grand cavalier (le roi mesurait plus de 2 mètres) près de la bannière royale, **Alain de Roucy** le défia, le renversa et s'écria : « Je croyais le roi plus hardi cavalier. » Le roi d'Aragon qui combattait non loin l'entendit et répondit : « Je suis le roi. » Aussitôt repéré, **Pierre II** fut assailli, jeté à terre et **mis à mort.** Sa disparition

Toulouse : abside de l'église Saint-Sernin.

jeta le désarroi dans le camp aragonais qui prit la fuite. C'est ainsi que la tradition rapporte la fin du grand roi d'Aragon. En désignant sa royale personne aux chevaliers ennemis, Pierre II a-t-il cherché à être épargné ou s'est-il senti blessé dans son amour-propre ? On ne le saura jamais. Une chose est certaine, Montfort avait gagné. Une victoire aragonaise eût pu, ce jour-là **changer le cours de l'Histoire.** L'Occitanie aurait pu recouvrer son indépendance ou bien devenir province espagnole. Une page de l'histoire de France venait de s'écrire à Muret.

Au sud-ouest de Toulouse, dressée au confluent de la Louge et de la Garonne, Muret (6 000 habitants) a conservé quelques vestiges de son **château du XIe** « d'une effroyable grosseur et hauteur », détruit en 1624, et du pont Saint-Sernin, du XIIIe. La ville montre encore des demeures médiévales à colombages et, dans l'église Saint-Jacques, la **chapelle du Rosaire,** du XIIe, aux clefs de voûtes sculptées où, dit-on, saint Domi-

nique serait venu prier le matin de la bataille. La bataille de Muret se déroula à un kilomètre au nord de la ville sur la route de Seysses (D. 12). Selon la tradition, l'endroit où fut tué Pierre II, le « pré d'Aragon » s'orne d'un obélisque à sa mémoire.

Au sud de Toulouse

Auterive (5 000 habitants). Fin juin 1211, Simon de Montfort, devant la résistance des habitants d'Auterive, fit **brûler** la ville et le château. Au cours de l'hiver 1226, Raymond VII assiégea la place et s'en empara. La ville a conservé quelques vestiges d'enceintes et des maisons anciennes.

Au confluent de la Garonne et du Salat, **Roquefort-sur-Garonne** fut assiégé par Amaury de Montfort en 1213. Les défenseurs se rendirent contre la vie sauve et livrèrent les 60 croisés qu'ils tenaient prisonniers. Aujourd'hui, on peut encore voir, au-dessus du village, les **ruines du château** et de son donjon carré du XIIe.

Ariège

Le château de Foix, fief du redoutable comte Raimon-Roger. Sa sœur, Esclarmonde de Foix fut une célèbre parfaite.

A L'ASSAUT DES MONTAGNES CATHARES

Pamiers : *« Madame, allez filer votre quenouille... »*

Fief du comte de Foix, lovée dans une boucle de l'Ariège, Pamiers (15 000 habitants) n'offre qu'un seul vestige de l'époque cathare : le réemploi, dans la cathédrale Saint-Antonin, d'un **portail roman** (1112), seul reste de l'abbaye fondée dès le XIe siècle et aujourd'hui disparue. A l'époque qui nous occupe, la ville eut à subir la violence des hommes du bouillant **Raymond-Roger**. Ce dernier ayant eu l'idée pour le moins saugrenue d'installer sa tante, parfaite notoire, dans l'abbaye, l'abbé refusa tout net, comme on pouvait s'y attendre. Furieux, un des chevaliers du comte égorgea un chanoine et le dépeça sur l'autel même de l'église abbatiale. Arrivés sur ces entrefaites, le comte et ses hommes chassèrent tous les moines et festoyèrent trois jours durant dans les lieux saints.

La célèbre parfaite **Esclarmonde de Foix,** sœur de Raymond-Roger, résida à Pamiers de 1204 à 1207. Sur l'emplacement actuel de la **promenade du Castella,** s'élevait alors le château de Pamiers. En septembre 1207, un débat contradictoire opposa **saint Dominique,** les évêques de Toulouse et de Saint-Lizier aux représentants cathares et vaudois. Esclarmonde, en pleine assemblée, fut violemment prise à partie par frère Étienne qui lui lança : « **Madame, allez filer votre quenouille...** » Il est vrai que le rôle de la femme était perçu différemment dans le clan catholique. A la suite de ce débat, les **Vaudois** demandèrent leur réconciliation collective avec Rome. A l'automne 1209, à la demande de l'abbé de Saint-Antonin, Simon de Montfort investit Pamiers qui devint sa base d'opérations sur tout le comté de Foix.

Au nord de Pamiers, **Saverdun** fut occupé sans résistance par Montfort à l'automne 1209, puis de nouveau en 1212, la garnison ayant été chassée ou massacrée. C'est dans l'église de Saverdun, en 1213, avant la bataille de Muret, que fut prononcée **l'excommunication** des comtes de Toulouse et de Foix. En 1231, la châtelaine du lieu, dame Cantor, était parfaite. A noter que Saverdun est le bourg natal de **Jacques Fournier** (Benoît XII).

Au sud de Pamiers, à **Varilhes,** on peut voir les restes du château occupé par Simon de Montfort et où son frère **Guy trouva la mort,** frappé d'une flèche, en janvier 1228. Tout près, à **Saint-Jean-des-Verges,** dans l'humble mais très jolie petite **église romane** (peut-être la plus belle de l'Ariège), le comte Roger-Bernard II se soumit au roi de France, le 16 juin 1229.

Foix, capitale des montagnes

Protégée par le roi d'Aragon, la ville de Foix ne fut jamais véritablement attaquée durant la croisade, bien que Simon de Montfort ait affirmé « qu'il ferait fondre comme graisse le rocher pour y griller le maître ». Homme étrange que le maître des lieux, le **comte Raymond-Roger,** grand protecteur des Cathares, homme violent, cruel et aussi, valeureux chef de guerre du camp occitan, digne ancêtre de Gaston Phébus. Le massacre de Montgey, c'est lui, tout comme les exactions de Pamiers. Plusieurs fois excommunié par l'Église, puis réconcilié avec elle, farouche adversaire des croisés mais jamais hérétique, peut-être même bon catholique, il fut comme son fils, Roger-Bernard, et son pe-

L'église romane de Saint-Jean-des-Verges,
où le comte Roger-Bernard se soumit au roi de France.

Pamiers : le clocher de la cathédrale.
Un débat contradictoire opposa saint Dominique
à des Cathares et des Vaudois.

Le château de Foix, attaqué par Montfort, en 1210 et 1211.

Foix : maisons à colombages.

tit-fils, Roger IV, pieusement inhumé dans l'abbaye de Boulbonne. Sa sœur n'était autre que la très belle et illustre **Esclarmonde de Foix** qu'une légende sans fondement affirme être la fondatrice de Montségur, où elle serait morte. On trouve **deux** autres **parfaites** dans l'entourage immédiat du comte : son épouse Philippa et celle de son fils, Ermenssinde (ou Ermessende) de Castelbon, dont on exhuma et brûla les restes en 1270.

Au printemps 1210, Montfort, encore furieux de l'échec de l'entrevue de Pamiers, vint disposer son armée au pied du château de Foix. Selon Pierre des Vaux de Cernay, on vit alors deux cavaliers du camp croisé se porter **seuls à l'attaque** du château, culbuter bourgeois et gardes, qui s'empressèrent de fermer la porte. L'un de ces chevaliers à la **folle témérité** n'était autre que Simon de Montfort en personne. Il rejoignit son camp (son compagnon fut tué d'une pierre lancée des remparts) puis se retira avec toute son armée non sans avoir ravagé vignes et vergers alentours. Au printemps 1211, il incendia un faubourg de la ville, saccagea la région mais n'osa attaquer l'altière forteresse. L'année suivante, **Roger-Bernard** captura un détachement de croisés près de Narbonne. Il les ramena à Foix et les fit affreusement torturer. Le 18 août 1214, le comte Raymond-Roger fit sa soumission à l'Église et livra son château en guise de bonne foi. Montfort y plaça une garnison en mai 1215.

C'est son **site montagneux,** au confluent de l'Arget et de l'Ariège, dont les eaux roulent encore des **paillettes d'or,** que domine un **château aérien,** juché sur son rocher, qui fait de Foix (10 000 habitants), préfecture de l'Ariège, un des hauts lieux de la tradition cathare. Perché sur son rocher, le château, **ouvert à la visite,** remonte au Xe siècle. Il a perdu ses parties basses qui s'étendaient jusqu'à l'église Saint-Valusien, mais conserve ses **trois hauts donjons,** emblèmes de la ville. Un corps de logis renferme le Musée départemental de l'Ariège, où l'on découvrira de remarquables collections préhistoriques et médiévales, dont une rarissime **gravure cathare** figurant un poisson, trouvée à Ussat. Dans la vieille ville, au pied du château, on découvrira des maisons anciennes aux colombages sculptés, dans les rues de la Bistour, du Four-d'Amont, de la Faurie et sur la place du Mercadal. La bibliothèque recèle de splendides manuscrits enluminés.

Au sud de Foix, sur la commune de **Montgaillard,** s'élève une abrupte colline, le « Pain de sucre », couronnée de quelques ruines : celles du château de **Montgrenier.**

Tarascon-sur-Ariège, *capitale du Sabarthès*

Son châtelain étant favorable à « l'hérésie », Tarascon était un **diaconé** de l'Église cathare, doté de « maisons » où l'on notait, vers 1204, la présence de parfaits, dont le futur évêque du Razès, Raymond Agulher. Au cours de l'hiver 1211, Simon de Montfort chassa Raymond-Roger de Foix qui assiégeait le château de **Quié** (voir ruines à l'ouest de Tarascon). De son château, Tarascon (4 000 habitants) a conservé la **tour de Castella** (XIIIe). La tour Saint-Michel est le clocher de l'ancienne église fortifiée. A voir : la **salle Gadal** pour ses vestiges cathares.

Montréal-de-Sos, *château du Graal ?*

A la sortie de Tarascon, à droite, une petite route attaque franchement la barrière des Pyrénées, vers **Vicdessos,** jusqu'aux ruines vertigineuses du château de Montréal-de-Sos (ou d'Olbier, du nom du village), forteresse du comte de Foix, à quelque 1 240 m d'altitude. Selon les légendes mêlées d'histoire, le château aurait

Sous les ruines du château de Montréal-de-Sos, une grotte renferme une représentation du Graal.

Les imposantes ruines du château de Miglos, dont le seigneur était cathare.

abrité le **Saint-Graal,** fuyant Montségur vers l'Espagne. Le témoignage de Béranger de Lavelanet affirme qu'à la fin du siège « les quatre hérétiques qui sortirent du château de Montségur allèrent... in castrum de so... ». Sous le château, sous les ruines de la tour du clocher, dans une **petite grotte** d'accès difficile (« grotelle d'initiation » selon Antonin Gadal) se découvre une **peinture rupestre** des plus étranges, que l'abbé Glory (préhistorien) data du XIIIe siècle. Elle figure une coupe, une épée, une lance, des séries de croix et des gouttes de sang. De nombreux spécialistes y voient une représentation du Graal. L'énigme pyrénéenne du Graal trouve son origine dans le roman du troubadour allemand du XIIIe siècle, **Wolfram von Eschenbach :** « **Parzival** », dont s'inspira, au XIXe siècle, Richard

Wagner notamment dans « Lohengrin », « Tannhauser » et « Parsifal ». **Déodat Roché**, **Maurice Magre**, ainsi que l'auteur allemand **Otto Rahn** (peut-être complice et/ou victime des nazis), dans sa « **Croisade contre le Graal** », ont beaucoup œuvré, avec d'autres, en faveur de ce Graal pyrénéen et cathare que pourtant rien ne laisse supposer dans les textes et témoignages de la religion cathare qui nous sont parvenus. Montréal est à présent en ruine. Les restes de la chapelle circulaire évoquent les constructions templières, Montréal ayant probablement été une commanderie.

La route de Tarascon à Vicdessos passe devant les imposantes ruines du château de **Miglos** (ou d'Arquizat), des XIIe et XIVe siècles, dont le seigneur était cathare.

Ussat-les-Bains, *au pays des grottes cathares*

La petite station thermale d'Ussat-les-Bains se situe au cœur d'un réseau de grottes étroitement liées à l'histoire du Catharisme, surtout après la chute de Montségur. Parmi les grottes fortifiées du haut comté de Foix, dénommées « caunes » ou « spoulgas », on peut citer : Alliat, Verdun, Souloumbrie, Subitan, Arnave, Ornolac et Bouan. Sur la rive gauche de l'Ariège, en direction d'Ax-les-Thermes, s'ouvre la **spoulga de Bouan** (aussi appelée « Église »). C'est une des plus belles et des plus typiques de la région. Elle a conservé son mur crénelé et passe pour une des caches possibles du Graal. La liste des grottes mythiques est plus difficile à établir, car, comme souvent, la légende a depuis longtemps pris le pas sur l'Histoire. On peut citer, à Ussat, « les grottes-églises » qui percent la montagne de **Ramploque** (celle de l'Acacia recèle de bien étranges inscriptions) et à **Ornolac,** à quelques centaines de mètres d'Ussat, les grottes superposées de l'Ermite, du Grand-Père, et, au sommet, celle de **Bethléem.** Souvent qualifiée de « grotte initiatique » avec ses deux entrées (la porte des hommes et la porte de Dieu ?), elle s'orne d'un grand **pentagone rupestre,** forme naturelle ou aménagée par la main de l'homme (le pentacle était un motif assez fréquent des Cathares). Antonin Gadal y fit une étrange découverte : la gravure sur cuivre d'une **colombe cathare.**

La « grotte initiatique » de Bethléem.

La grotte la plus célèbre est celle de **Lombrive.** Elle est **ouverte à la visite.** Gigantesque labyrinthe aux « voûtes plus hautes que des cathédrales » et dont le réseau communique avec la superbe grotte préhistorique de **Niaux,** elle abrita, selon la tradition, une des ultimes tragédies cathares. En 1328, quelque **500 Cathares,** parmi les derniers, réfugiés sous terre, y auraient été emmurés vivants. Légende ou réalité ? Lorsque bien plus tard, **Henri IV,** descendant des comtes de Foix, aurait fait ouvrir la grotte, on y découvrit un nombre impressionnant

La spoulga de Bouan (grotte fortifiée).

d'**ossements humains**, lesquels auraient été, selon le vœu du roi, inhumés en terre consacrée. Une inscription (authentique ?) atteste le passage du roi de Navarre. Certains historiens pensent que cet ossuaire pourrait dater des périodes préhistorique ou gauloise.

On pourra aussi visiter le très intéressant **musée cathare d'Antonin-Gadal** (Centre Galaad) qu'installèrent à Ussat les adeptes hollandais de la Rose-Croix de Harlem. Notons que l'on découvrit dans un des murs de l'ancien cimetière d'Ussat, une pierre gravée d'un **poisson**. Ce témoignage cathare est exposé au musée de Foix et compte parmi les **rares symboles gravés** des Albigeois.

Plus haut dans la vallée de l'Ariège, on peut voir les restes de la forteresse de **Château-Verdun**, du XIIᵉ. En 1210 sa châtelaine, Agnès, était cathare. Deux parfaites, ayant refusé de tuer un poulet, furent dénoncées à l'Inquisition par l'aubergiste du village.

Lordat

Juché sur un piton dominant le Sabarthès, le château de Lordat, pièce maîtresse du comté de Foix, a conservé son **donjon** et des restes de ses **trois enceintes.** Il existait déjà en 1034. Jamais il ne fut menacé par la croisade ; il était situé trop haut dans la montagne, dans un territoire sous influence aragonaise. Pourtant, les relations ne furent pas toujours au beau fixe entre Foix et Aragon. A la fin du XIIIᵉ siècle, Roger-Bernard attaqua les terres du roi qui, en retour, s'empara de Lordat. Pierre-Roger de Mirepoix défenseur de Montségur, fut châtelain de Lordat, lequel protégeait une route d'accès à Montségur. Guilhabert de Castres y résida en 1224 et Raymond Imbert vers 1233. Au lieu-dit Bec-en-Barra, se trouve un **cimetière cathare,** le chapelain de Lordat ayant, vers 1209, interdit la terre consacrée aux « consolés ». Lordat fut démantelé en 1582, sur ordre d'Henri IV.

Usson, *la forteresse oubliée*

Les ruines d'un important château cathare, Usson, se dressent sur la commune de Rouze, au confluent de l'Aude et de la Bruyante, à la frontière de l'Ariège, de l'Aude et des Pyrénées-Orientales. Cité en 1035 (château du Son), il fut rebâti au XIIIᵉ siècle par les **seigneurs d'Alion,** vassaux du comte de Foix. Il fut remanié aux XVIIᵉ et XVIIIᵉ, puis démantelé à la Révolution. Il montre encore un haut **donjon pentagonal** et les restes de ses enceintes hautes et basses.

Lordat, hors de portée de la croisade, fut pris par le roi d'Aragon.

Ruines du château de Montaillou, cadre du livre d'Emmanuel Le Roy Ladurie « Montaillou, village occitan ».

En page précédente : *le château d'Usson, où les quatre évadés de Montségur auraient trouvé refuge.*

Le 16 mars 1226, Bernard d'Alion fit sa soumission à l'Église, ce qui n'empêcha pas Usson de rester une des principales voies d'accès vers Montségur. Les évêques cathares Raymond Agulher et Guilhabert de Castres y séjournèrent vers 1234. Arnaud d'Usson reçut à nouveau des parfaits en 1242 et 1243. En juin 1243, un renfort partit du château pour Montségur. A partir du témoignage de Béranger de Lavelanet, on a dit que les quatre derniers **évadés de Montségur** seraient passés par Usson. La tradition en fit donc une des caches possibles du Graal.

Montaillou, « village occitan »

A Montaillou, tenure de la seigneurie d'Alion, on peut encore voir les ruines du **donjon du château** du XIIIe où, en 1242, le diacre Raymond de Saint-Martin procéda à l'appareilhament des parfaites de la région. Ce minuscule village doit sa célébrité à l'ouvrage d'**Emmanuel Le Roy Ladurie** : « Montaillou, village occitan de 1294 à 1324 », publié en 1975, chef-d'œuvre de la « nouvelle histoire ». Se fondant sur les registres de l'inquisiteur **Jacques Fournier,** évêque de Pamiers et futur pape Benoît XII, E. Le Roy Ladurie sut recréer, d'une manière **étonnamment vivante,** la vie quotidienne de ce petit village des Pyrénées avec ses personnages hauts en couleur : le berger Maury, le curé, quelque peu cathare et beaucoup paillard, amant de la châtelaine, la belle Béatrice de Planissoles, les **frères Authier,** parfaits et, bien sûr **Guillaume Bélibaste,** le dernier d'entre eux.

A l'est de Montaillou, **Prades-d'Alion** montre encore l'enceinte flanquée de tours du château du comte de Foix (XIIIe) par où passèrent les quatre fugitifs de Montségur. Entre Montaillou et Montségur, l'Hers a creusé dans la montagne des gorges si étroites que l'on ne peut les emprunter qu'à pied, si profondes que l'être humain s'y sent quelque peu écrasé : **les gorges de la Frau,** les gorges de l'effroi : haut lieu de la mythologie cathare, cette « voie sacrée » (selon le mot de Jean Blum) aurait été empruntée par les porteurs du Graal fuyant Montségur. En 1943, des nazis s'y installèrent pour rechercher le trésor cathare.

Mirepoix, la bastide surgie des eaux

Au début du XIIIe siècle, la moitié des **36 coseigneurs** de Mirepoix était cathare. L'hérésie y fleurissait. Le diacre Raymond Mercier y tenait publiquement « maison » et, vers 1206, on pouvait y compter jusqu'à 50 « hôtels d'hérétiques ». Guilhabert de Castres, lui-même, viendra s'y installer en 1227. Son principal seigneur, Pierre-Roger de Mirepoix (le Vieux) était très probablement cathare et sa belle-sœur, Fournière de Pereille, tenait « maison » à Mirepoix, vers 1204 (les Pereille bâtirent Montségur et Pierre-Roger de Mirepoix (le Jeune) en fut son principal défenseur en 1243-1244). Un important **concile** rassembla, en 1206, quelque 600 Cathares vraisemblablement venus y décider de la **construction de Montségur.**

Au début de la croisade, **Pierre-Roger de Mirepoix** est dépossédé de son fief par Simon de Montfort qui l'octroie à l'un de ses lieutenants Guy Ier de Lévis,

Mirepoix : en 1206, un concile cathare y décida vraisemblablement la construction de Montségur.

« maréchal de la Foi ». En 1223, Pierre-Roger le Vieux tenta de reprendre sa ville mais il mourut de maladie au cours du siège et fut inhumé dans l'abbaye de Boulbonne.

La petite ville de Mirepoix (3 500 habitants), au nord de l'Ariège, que l'on voit aujourd'hui, n'occupe pas le même site qu'au temps de la croisade. En effet, en 1279, la rupture de la digue du lac de Puivert déclencha une **effroyable inondation** de l'Hers qui engloutit le village d'alors. Les Levis entreprirent de bâtir une bastide sur la rive opposée. Celle-ci a conservé une très belle place centrale bordée de couverts, de jolies demeures médiévales (XIIIe-XVe) parfois sculptées. Sa vaste cathédrale fut édifiée au XIVe. La porte d'Aval est un reste de fortifications.

Au sud-ouest de Mirepoix, on peut voir les ruines du **château** de **Dun,** attesté dès 1034. En 1206, le comte de Foix Roger-Raymond en fit don à sa femme, la parfaite **Philippa de Moncade** qui y fonda une communauté cathare. Dès 1209 et jusqu'en 1229, Guilhabert de Castres y prêcha publiquement

Roquefixade, le château-montagne

Au-dessus du minuscule village, se confondant avec la montagne, Roquefixade, qui verrouillait la route de Montségur à Foix, semble **taillé dans le rocher** qui le supporte. On ne peut le comparer qu'à Montségur, car il épouse exactement le sommet du piton tel une couronne ruinée. Le rocher barré d'une large fissure, la « roca fisada » lui a vraisemblablement donné son nom. Parmi les ruines, on distingue difficilement les restes du donjon, de l'enceinte, de la tour-porte et de la basse-cour. Le poète troubadour Adhémar de Roquefixade y vécut.

Les gorges de la Frau.

Pereille

Entre Roquefixade et Lavelanet, on peut encore voir, à Pereille-Haut, les quelques restes du château (XIIIᵉ) de Pereille, **fief** d'origine du **bâtisseur de Montségur :** Raymond de Pereille. Sa mère était la parfaite Fournière de Pereille ; sa fille Philippa, l'épouse de Pierre-Roger de Mirepoix le Jeune. Sa femme **Corba** (ou Curva), parfaite elle aussi, fut **brûlée** à Montségur. Son beau-frère Alzende Massabrac, mourant, fut consolé à Pereille, en 1226, par le parfait Jean Cambiaire, en présence de toute sa famille.

A quelques kilomètres au nord de Montségur, **Lavelanet** (10 000 habitants), ne conserve de cette époque que la nef gothique de son église (XIVᵉ) et la chapelle romane du cimetière. Son château (à l'emplacement de la maison de retraite) fut pris en 1212 par **Guy de Montfort** qui en fit massacrer tous les défenseurs. Parmi les Cathares capturés qui furent brûlés à Carcassonne, se trouvait la mère de Béranger de Lavelanet. Ce dernier figurera parmi les derniers défenseurs de Montségur. La parfaite Fournière de Pereille tint, vers 1204 à Lavelanet, une « maison » qui resta très active jusqu'à l'arrivée des croisés.

Montségur
La création

Au sommet de son piton, à 1 207 mètres d'altitude, comme aspiré par le ciel, Montségur, dans son cadre grandiose et sauvage, demeure, même après plus de sept siècles, le **symbole du Catharisme.** L'ampleur de la tragédie qui s'y déroula impose le respect. Son histoire et les mystères qui l'entourent sont propres à susciter la curiosité, à enflammer l'imagination.

Montségur est, en fait, le **seul château** à mériter pleinement son qualificatif de **cathare.** Sa construction fut décidée par l'Église cathare, vraisemblablement en 1206, au concile de Mirepoix (les autres châteaux sont dits « cathares » par commodité de langage, pour signifier leur appartenance au camp occitan).

Son seigneur, **Raymond de Pereille,** accepta de rebâtir le petit fortin qui surmontait un éperon rocheux du massif du Saint-Barthélemy. Pourquoi une telle décision alors même qu'aucune menace ne pesait sur l'Église cathare à cette époque ? Prudence ? Prémonition ? Désir d'un abri en cas de besoin ? Érection d'un lieu saint ? Difficile de répondre ; ces hypothèses ne s'excluant d'ailleurs nullement l'une l'autre. Très vite,

Les fenêtres de Roquefixade tournent leur regard mort vers le paysage ariégeois.

Le château de Montségur : l'ampleur de la tragédie qui s'y déroula impose le respect.

En pages suivantes : *Montségur, cour intérieure et donjon.*
Plus de 500 personnes y trouvèrent refuge pendant le siège de 1244.

leurs adversaires allaient le surnommer « le Vatican de l'hérésie », « la tête du dragon », « **la synagogue de Satan** ». Montségur dut probablement recevoir un premier contingent de réfugiés lors de la prise de Mirepoix par Guy de Montfort, en 1212. **Esclarmonde de Foix,** sœur du comte de Foix, s'y serait, peut-être, retirée vers cette époque. Mais c'est une légende qui lui attribua la construction du château et l'y fit mourir en 1244. Après le traité de Meaux en 1229, le comté de Toulouse cessa d'être un lieu sûr. En 1232, **Guilhabert de Castres,** évêque cathare de Toulouse, décida du repli de son Église sur Montségur. Un grand synode s'y tint cette année-là au cours duquel furent nommés le diacre de Toulouse, Bernard Bonafos, et l'évêque d'Agen, Tento. Pendant neuf ans, Montségur connut une paix relative. Descendant du Pog, les parfaits parcouraient la contrée environnante prêchant et administrant le *consolamentum*. Guilhabert de Castres s'éteignit à Montségur, vers 1240. Il fut remplacé par **Bertrand Marty,** devenu son fils majeur (l'équivalent du coadjuteur catholique), après l'arrestation de Jean Cambiaire. Le 14 mars 1241, Saint Louis exigea de Raymond VII la destruction de Montségur. Le comte de Toulouse organisa alors une expédition sans zèle ni véritable volonté d'aboutir, et ne

tarda pas à lever un **siège symbolique.** Ce fut le massacre des inquisiteurs à Avignonet, en mai 1242, lors d'une expédition partie de Montségur, sous les ordres de son chef de guerre, Pierre-Roger de Mirepoix qui précipita les événements. En avril 1243, lors du concile de Béziers, il fut décidé d'anéantir Montségur.

Le siège

En mai 1243, **Hugues des Arcis,** sénéchal de Carcassonne et Pierre Amiel, archevêque de Narbonne, à la tête d'une armée de 6 000 hommes (certains disent 10 000), assiégèrent Montségur. Encercler la montagne, couper les assiégés de leurs bases dans la vallée, se révéla très vite mission impossible, particulièrement dans cette région sauvage et hostile. Jusqu'à l'hiver 1243, les quelque 500 ou 600 Cathares défenseurs du Pog purent se ravitailler dans les villages des environs. Plusieurs convois purent, notamment, franchir les lignes adverses. Entre novembre 1243 et janvier 1244, Hugues des Arcis engagea des montagnards gascons (ou basques selon certaines sources) qui, de nuit, entreprirent l'audacieuse **escalade du Pog.** Après avoir égorgé quelques défenseurs, ils s'emparèrent d'une tour isolée, à l'est du plateau (le Roc de la Tour). Le jour venu, à la vue des pré-

Montségur : fenêtre « solaire », alignée en direction du soleil levant au solstice d'été.

Montségur : ruines du donjon.

cipices, ils furent, nous dit Guillaume de Puylaurens, effrayés de leur propre témérité. Cette position leur permit d'installer un **trébuchet,** monté pièce par pièce, sous les ordres de Durand de Beaucaire, évêque d'Albi, qui commença de bombarder la barbacane est du château. En janvier 1244, Montségur reçut encore quelques hommes en renfort, dont le Lotois (de Capdenac) **Bertrand de la Baccalaria** qui construisit une catapulte capable de répliquer aux assiégeants. Ceux-ci édifièrent une catapulte géante dont les boulets de 50 kg ravagèrent l'intérieur du château, faisant de nombreuses victimes. En février 1244, un assaut contre la barbacane fut repoussé avec de lourdes pertes. De sanglants combats se déroulèrent alors pour tenter de détruire les machines de guerre, mais pour les assiégés, la situation devint rapidement intenable. Pressés par le froid et la faim, désespérant de tout secours, ils négocièrent leur **reddition.**

Le bûcher

Le mercredi 2 mars 1244, Pierre-Roger de Mirepoix et Hugues des Arcis conclurent une **trêve de quinze jours** avant la reddition finale. Les conditions étaient **étonnamment avantageuses** pour les assiégés (quand on sait les massacres qui suivaient habituellement les sièges de longue durée). Toutes les condamnations pesant sur les défenseurs de Montségur, y compris sur les participants à l'expédition d'Avignonet, furent amnis-

tiées. Après déposition devant l'Inquisition, il fut décidé que tous les soldats resteraient libres. Tous les Cathares qui abjureraient le seraient également. Ceux qui refuseraient seraient brûlés. On a beaucoup écrit sur la raison de ces quinze jours de trêve : attente d'un ultime secours ? Délai permettant à tous les croyants de recevoir le *consolamentum* ? Organisation d'une fuite ? Durant les combats, la plupart des blessés, croyants ou non, sentant l'approche de la mort, avaient demandé à recevoir le *consolamentum*. Pendant la trêve, dans le château débarrassé du fracas des combats, nombre de non-croyants, des soldats, des femmes, **choisirent de se convertir au Catharisme.** parfaits et croyants, sachant alors qu'ils allaient mourir, partagèrent leurs biens entre ceux qui survivraient. Le 16 mars 1244, Hugues des Arcis et l'archevêque de Narbonne, Pierre Amiel, prirent possession de Montségur (le lendemain, il fut remis à son seigneur « officiel » Guy de Lévis-Mirepoix). Pierre-Roger de Mirepoix et Raymond de Pereille, après avoir rendu la place, **purent quitter librement Montségur.** Quant aux Cathares, sous la conduite de leur évêque Bertrand Marty, ils descendirent jusqu'au pied du Pog où un **gigantesque bûcher,** un enclos de pieux emplis de fagots, avait été préparé. **Pas un seul n'avait accepté de renier sa foi.** L'endroit supposé du martyre collectif prit le nom de **Prat des Crémats** (Champ des Brûlés). Il est aujourd'hui marqué d'une stèle érigée en 1960 par la Société d'étude cathare. Le nombre des morts ne nous est pas connu exactement : **205 à 225** parmi lesquels Bertrand Marty, son fils mineur Pierre Sirven, l'évêque du Razès, Raymond Agulher, les diacres Guillaume Déjean et Raymond de Saint-Martin, la femme de Raymond de Pereille, Corba, sa fille, Esclarmonde et sa belle-mère Marquesia de Lantar, ainsi que Guillelme, la femme de Béranger de Lavelanet. Tous, **librement,** gravirent les échelles et se précipitèrent dans les flammes de l'immense brasier, le mari et la femme, main dans la main, nobles, marchands, civils, soldats, tous unis dans la foi et le martyre, en un ultime « Paratge ».

Le mystère

Château du Graal, trésor des Cathares, temple solaire, à Montségur se rencontrent les **mystères de la mythologie cathare** et de **la symbolique occidentale.** S'il convient de respecter l'Histoire autant que les mythes, il faut pourtant les différencier. Qu'en est-il réellement des mystères de Montségur ? Et tout d'abord que dire du **trésor des Cathares ?** Selon le témoignage d'Imbert de Salles, vers Noël 1243, deux parfaits, Pierre Bonnet, diacre de Toulouse, et Mathieu, quittèrent Montségur avec le trésor constitué des legs à l'Église cathare et surtout d'argent confié, car les Cathares, comme les Templiers, étaient

Le Pog de Montségur. « La tête du dragon »,
« La synagogue de Satan » dont
Blanche de Castille exigea la destruction.

banquiers. Ils se cachèrent dans une grotte fortifiée du Sabarthès (peut-être Souloumbrie ?). Le 16 mars 1244, au moment de la reddition de Montségur, quatre autres parfaits furent, selon **quatre témoignages concordants** de l'époque, cachés dans une grotte ou un souterrain du château, avant d'être descendus, par des cordes, dans le ravin, le long de la falaise. Ils gagnèrent ensuite un château (certains disent Usson, d'autres Montréal-de-Sos) par Coussou et Prades. Des **quatre évadés,** trois nous sont connus : Amiel Aicart, Hugon et Peytavi (ou Poitevin). Ce dernier sera signalé en Italie en 1252 et 1255. Que n'a-t-on pas écrit sur le quatrième personnage, l'inconnu ; comme si, en ces circonstances, l'Histoire avait voulu laisser porte ouverte au mystère. Par recoupement, **Michel Roquebert, l'historien du Catharisme,** conclut qu'il doit s'agir de Pierre Sabatier, que l'on retrouve également en Italie. Quelle était la **mission** de ces « fugitifs » de la dernière heure ? Avaient-ils mission de rejoindre les deux parfaits qui avaient évacué le trésor, et d'escorter celui-ci jusqu'en Lombardie ? La légende s'est depuis longtemps emparée de l'Histoire. Comment ne pas penser qu'au moment où

la mort va souffler sur Montségur, ces quatre hommes n'aient pas cherché à sauver le symbole le plus précieux du Moyen Age : **le Graal** ? Toute une littérature a paru sur le sujet, mêlant nombre de légendes, traditions, suppositions. S'ils emportèrent quelque chose (**on imagine mal qu'ils soient partis les mains vides**), peut-être emportèrent-ils des livres, les livres sacrés des Cathares, comme l'Évangile et l'Apocalypse de Jean ? Quoi qu'il en soit, il semble bien improbable qu'il s'agisse de la coupe ayant servi à la Cène et à recueillir le sang du Christ sur la croix (tel est défini habituellement le Graal). En effet, pour les Cathares, le **Christ n'a pas eu d'existence matérielle réelle,** toute matière étant impure. La légende du Graal pyrénéen nous vient d'un troubadour templier allemand du début du XIIIᵉ siècle, **Wolfram von Eschenbach.** A la suite des romans de chevalerie de Chrétien de Troyes, légendes celtiques christianisées, il écrivit son « Parzival », roman du Graal, fortement marqué par le Catharisme, citant pour toute source, un troubadour inconnu nommé Guyot de Provence. Montségur fut donc identifié au **Montsalvage** du roman, le château du Graal. Voilà toute l'origine du « Graal pyrénéen », voilà pourquoi les nazis désireux d'implanter leur mythologie dans les racines mêmes de l'histoire allemande (il y avait des Cathares en Germanie) s'intéressèrent, avec **Otto Rahn,** à Montségur et au Catharisme (des groupuscules néo-nazis hantent toujours la région). Il y a, a priori, bien peu de raisons de parler d'un Graal pyrénéen, mais il n'en reste pas moins vrai que certaines des très nombreuses recherches autour de ce Graal ont apporté **un plus significatif** sur bien des sujets encore méconnus du grand public. Ajoutons que toute démarche spirituelle constitue, en un sens, une **quête du Graal.** Que celui-ci soit un livre, une coupe, une émeraude ou tout autre « objet », le Graal reste le **symbole** du Bien et de l'Amour absolu que l'homme s'efforce d'atteindre en se construisant lui-même tout au long de sa quête.

Montségur, temple solaire ? L'historien **Fernand Niel**, à la suite d'une étude sérieuse sur l'orientation du château, conclut qu'il était bâti selon un plan « solaire ». En particulier, les meurtrières du donjon sont alignées en direction du soleil levant, au solstice d'été, le 21 juin. Suite à ce travail, certains auteurs s'empressèrent de présenter les Cathares comme des « adorateurs du soleil ». Conclusion bien péremptoire et non fondée. Si Montségur, bâti à la demande de l'Église cathare, est un **château « orienté »,** il l'est tout autant que les églises, tournées vers l'est, le soleil levant, tout comme les mosquées ou les temples de l'Antiquité grecque et égyptienne. Le soleil, tant dans sa course quotidienne qu'annuelle est, en effet, le **symbole** le plus naturel et élémentaire **du cycle :** vie, mort, renaissance, que l'**on trouve à la base de toute religion.** Ajoutons que les

Montségur : la porte nord donne accès à la falaise qu'escaladèrent, de nuit, les assaillants.

Ci-contre : *Montségur, comme aspiré par le ciel, reste le haut lieu de la foi cathare. Plus de deux cents martyrs préférèrent le bûcher à l'abjuration.*

rayons du soleil en leur point « fixe » du 21 juin servaient de niveau et d'équerre aux bâtisseurs du Moyen Age (dont on connaît l'attachement traditionnel aux principes d'orientation). Certains ont aussi prétendu que le **château** que nous voyons aujourd'hui n'est pas celui des Cathares, qui aurait été **détruit.** Il est exact que le pape a demandé que soient rasées les demeures des hérétiques. Mais nous n'avons aucune trace historique relatant la démolition de Montségur. Les châteaux qui étaient effectivement détruits, se voyaient démontés par des équipes de spécialistes (maçons, charpentiers, etc.), travail long et coûteux. L'accès de Montségur étant particulièrement difficile, il est probable qu'il fut **démantelé « symboliquement »,** comme la plupart des châteaux que l'on dit rasés par Simon de Montfort. Bien souvent, une porte, un mur ou une partie du donjon étaient abattus, signifiant par là même que le château était ouvert. Les travaux entrepris par les Lévis durent l'être sur les restes du vieux château cathare des Pereille (certains murs portent encore les traces du bombardement). Il était en effet bien rare que l'on modifiât la disposition d'un château fort, surtout bâti sur un étroit piton rocheux. Si Montségur fut partiellement **reconstruit,** il dut l'être **sur les plans initiaux.**

La visite

C'est par milliers que Montségur attire les visiteurs ; des touristes ordinaires bien sûr, mais surtout des amateurs d'Histoire ou de mystères, des ésotéristes et des « fous de Dieu », des « pèlerins » aussi, adeptes d'un néo-Catharisme moderne, venus rendre hommage à **l'ultime symbole de la tolérance médiévale.** Il faut dire que quel que soit le côté par lequel on l'aborde, le piton rocheux, **le « Pog »,** semble projeter le château vers le ciel, imposant une irrésistible élévation de l'âme. L'ascension rude mais brève conduit aux ruines en moins d'une demi-heure. Le chemin passe par le Champ des Brûlés, l'emplacement supposé du bûcher, où la stèle, élevée en 1960 par la Société d'Étude Ca-

thare, est régulièrement fleurie. On pénètre dans le petit château (70 x 20 m) par la porte sud, et en faisant le tour de l'**étroite cour intérieure,** on se demande encore comment 500 ou 600 personnes ont pu y vivre. Jusqu'à l'assaut final, une partie de la population vivait dans des cabanes bâties en terrasses, contre le château (on peut voir quelques restes) ; mais à partir de janvier 1244, les survivants se pressèrent à l'intérieur du château sous le tir des catapultes (on trouve encore des boulets de pierre autour du site). Du haut des remparts, un panorama vertigineux s'ouvre sur les montagnes environnantes. Fermant le côté le plus étroit de la cour, le **petit donjon** rectangulaire (20 x 9 m) auquel on accède par la citerne, montre les fameuses **fenêtres « solaires ».** A l'est du château, subsistent les restes d'une barbacane et à l'extrémité nord-est, ceux du poste de guet du Roc de la Tour, investis par les assiégeants. Au pied du Pog, dans le moderne **village** de Montségur qui n'existait pas à l'époque cathare, on visitera le **musée** où sont exposées les trouvailles faites sur le site. On pourra aussi approfondir le sujet dans les librairies (diaporamas, ouvrages spécialisés en Catharisme et ésotérisme).

Le château de Puilaurens au-dessus de la vallée de la Boulzane (Aude).

Aude

Peyrepertuse : le donjon-vieux. Fortifié par Saint Louis, Peyrepertuse devint un des « cinq fils de Carcassonne ».

LE CŒUR HISTORIQUE DU PAYS CATHARE

*Au pays de **Sault**, refuge des Cathares*

Au nord-ouest du département, **Belcaire**, l'actuelle capitale du pays de Sault, est dominé par son château du XIIe, aux énormes tours. A l'est de Belcaire, au nord-est du village, on peut encore voir les fondations du **château de Roquefeuil**, assiégé en 1218, et dont le seigneur Raymond de Roquefeuil, mortellement blessé,

reçut le *consolamentum* de l'évêque du Razès, Benoît de Termes. En 1240, les Français tentèrent de s'emparer de Pierre-Roger de Mirepoix en assiégeant à nouveau Roquefeuil. Dans les étroites gorges du Rebenty, au-dessus du village de **Niort-de-Sault**, on peut découvrir les ruines du château de **La Roche-Aniort**, ancienne capitale de la vicomté. Là, vécurent les parfaits

Ruines du château de Puivert où furent chantés les charmes des nobles dames du temps jadis et des belles Cathares.

Raymond Mercier, Raymond Agulher et Raymond Imbert. Les seigneurs de Niort furent parmi les derniers et les plus actifs défenseurs du Catharisme.

Puivert, la cour d'amour des troubadours

Le château de Puivert doit sa réputation à ses célèbres « cours d'amour » qui réunissaient au XIIᵉ siècle, lors de concours de poésie, présidés par Adélaïde de Carcassonne, les **troubadours** les plus **prestigieux**. En 1170, une grande réunion de poètes vit même la participation d'**Aliénor d'Aquitaine**. Le talent des troubadours célébrait un certain art de vivre : **l'amour courtois**. Le troubadour, de condition sociale inférieure à celle de sa dame, transcendait son amour jusqu'à lui conférer un caractère religieux. Cet art, fort prisé des nobles dames du temps jadis et des « belles Cathares », atteignit son apogée au XIIᵉ siècle, en particulier dans le comté de Toulouse. Le château de Puivert reste à cet égard un prestigieux exemple.

Au cours de la croisade, le château fut pris par Simon de Monfort après **trois jours de siège**, à l'automne 1210, et remis à Thomas de Bruyères. La famille sei-

gneuriale de Puivert était totalement vouée au Catharisme. Bernard de Congost reçut le *consolamentum* à Montségur, en 1232, sa femme Alpaïs, en 1208. Sa fille Saissa, parfaite, est une des martyrs du bûcher de Montségur. Quant à Sicard de Puivert, il prit part au massacre d'Avignonet. En 1279, la rupture de la digue du **lac de Puivert**, qui bordait le château, entraîna la destruction de Mirepoix.

Bâti sur une petite butte, presque en plaine, le château de Puivert (**ouvert à la visite**) semble effectivement plus fait pour l'amour que pour la guerre. Sa partie la plus ancienne date du XIIᵉ, mais l'essentiel fut rebâti au XIIIᵉ et au début du XIVᵉ, dont le grand **donjon carré** de 35 mètres de haut, parfaitement orienté, à la silhouette très caractéristique. En parcourant ses quatre étages, on découvrira la chapelle, chef-d'œuvre gothique, et la salle d'apparat ou « **salle des musiciens** », aux fenêtres trilobées, dont les culs-de-lampe des ogives s'ornent de musiciens sculptés, rappelant le prestigieux passé du château. On pénètre dans la cour par une tour-porche carrée surmontée d'un « lion à la queue fourchue », emblème des Bruyères. L'immense

cour d'honneur (80 x 50 m), conçue pour les tournois, est bordée d'un rempart flanqué de tour, dont la grosse tour Gaillarde (carrée) et la Bossue (à bossages).

Puilaurens, la couronne cathare

Ce célèbre château cathare qu'il convient de ne pas confondre avec celui de Puylaurens, dans le Tarn, est mentionné dès le Xe siècle. Il appartenait, au XIIIe, aux seigneurs de Fenouillet. Défendu par Pierre Catala, et surtout par **Guillaume de Peyrepertuse** (lequel fut excommunié), il résista à Simon de Montfort et à ses successeurs jusqu'à la fin de la croisade. Après 1243, son seigneur est Roger Catala, fils de Pierre, mais sa défense, et celle de Quéribus, est assurée par **Chabert de Barbaira**, cathare et chef militaire, ultime combattant de la cause occitane. De nombreux diacres cathares s'y réfugièrent après la chute de Montségur. On pense que le château dut enfin se rendre (vraisemblablement à la même époque que Quéribus), vers 1255 ou 1256 (1250 selon les témoignages du seigneur de Bézu). A la fin du XIIIe siècle, Puilaurens devint, avec Peyrepertuse, Quéribus, Aguilar et Termes, l'un des « **Cinq fils de Carcassonne** », forteresses royales protégeant la frontière entre la France et l'Espagne.

Le château, **ouvert à la visite**, apparaît comme une imposante couronne de pierre, posée sur le crâne pelé d'un piton rocheux, au-dessus de la vallée de la Boulzane et du village de Lapradelle. Après une courte marche, le visiteur, franchissant la barbacane qui protège l'entrée, pénètre dans une vaste cour (60 x 25 m), cernée de hautes murailles crénelées, flanquées de deux tours rondes. A gauche de la cour, une **seconde fortification** protège le donjon. Deux tours renforcent cette enceinte, dont celle de la « dame blanche » qui hante les ruines (Blanche de Bourbon, petite-fille de Philippe le Bel qui séjourna à Puilaurens, assassinée par son mari, le roi de Castille, Pierre le Cruel). Le donjon carré impose sa masse sur cet ensemble parmi les mieux conservés du pays cathare. Les restes du château, doté d'un impressionnant système défensif et de nombreux souterrains, datent des XIIe et XIIIe siècles. Certaines parties du XIe sont encore visibles.

A quelques kilomètres au nord de Puilaurens et à l'est de Quillan, 2 km à l'ouest du village de Saint-Just-

Puilaurens. Son défenseur, Guillaume de Peyrepertuse, résista à Simon de Montfort.

Le pic de Bugarach, point culminant des Corbières.

Puilaurens :

Ci-contre, en haut, à gauche : *le donjon fortifié.*

Ci-contre, en haut, à droite : *barbacane.*

Ci-contre, en bas : *la cour intérieure.*

Puilaurens, que le Cathare Chabert de Barbeira conserva jusqu'en 1255 ou 1256.

le-Bézu, dans le site impressionnant de la vallée de la Blanque, le fabuleux **château d'Albedun** montre encore l'appareil cyclopéen de ses murailles, témoignage d'une grande ancienneté. La forteresse du Razès, abandonnée par ses défenseurs, fut prise par les croisés en 1210. Son seigneur **Bernard Sermon d'Albedun** dut composer avec Montfort lorsque ce dernier revint assiéger son château, en 1211, puis rejoignit la « résistance ». Cathare convaincu, il vint « adorer les hérétiques », à Montségur, en 1234. Guilhabert de Castres, accompagné de plusieurs parfaits, résida à Albedun en 1229.

A l'est d'Albedun, vers Peyrepertuse, le paysage audois se dévoile dans toute sa beauté et son mystère. Le voyageur rencontre tout d'abord le vieux village fortifié de **Bugarach**, dominé par le pic de Bugarach, point culminant des Corbières (1 231 m). Une promenade sur ses pentes parsemées de légendes, de sorcières et de trésors cathares est fortement recommandée. En suivant l'Agly, petit fleuve côtier qui court au pied du Bugarach, on franchit les remarquables **gorges de Galamus**, qui relient le Razès et le Fenouillèdes, vers Perpignan.

Peyrepertuse : la « Carcassonne céleste »

L'approche de Peyrepertuse est porteuse de surprise. Là où le regard ne perçoit qu'une montagne abrupte, l'œil distingue peu à peu, sur la barre rocheuse, en fond de ciel, quelques murs, une trace humaine. On se ravise, ce n'est sûrement qu'un caprice de la nature. Mais la vision se précise, c'est bien un château dont il s'agit, un **immense château**, haut comme une montagne, vaste comme une ville : Peyrepertuse, « la Carcassonne Céleste », **le plus grand des châteaux cathares.** La grande fissure qui fend la falaise, au-dessus du village de Duilhac, lui a donné son nom, Peyrepertuse : la pierre percée. Le château est mentionné dès le IXᵉ siècle ; en 1020, il est fief des comtes de Besalu, en 1111 des comtes de Barcelone, puis du roi d'Aragon. En 1217, Guillaume de Peyrepertuse se soumit à Simon de Montfort. Mais il rejoignit Trencavel en 1224 et, en 1229, s'empara du château de Puilaurens. Le château de Peyrepertuse passa à Nuno Sanche, régent d'Aragon, en

Peyrepertuse fut pris, après trois jours de siège, par Jean de Beaumont, à l'automne 1240.

Ci-contre : *Puilaurens, la couronne cathare.*

Les gorges de Galamus.

1226, qui le vendit au roi de France, en 1239. Saint Louis ne put prendre possession de son bien qu'après la campagne de 1240. A l'automne 1240, une armée royale commandée par **Jean de Beaumont** assiégea Peyrepertuse qui se rendit le 16 novembre, après trois jours de combats. Saint Louis en fit alors la plus impressionnante place forte des Pyrénées.

Le château de Peyrepertuse, capitale du Peyrepertusès, **ouvert à la visite**, exige de longues heures d'exploration pour qui veut en découvrir les secrets. Après avoir franchi la barbacane à l'entrée, on découvre le « **donjon-vieux** » (celui des Cathares), un ensemble de bâtiments fortifiés abritant, entre autres, l'église Sainte-Marie qui existait déjà en 1115. La totalité de ce premier château est ceinturée d'une muraille de 120 m de long, flanquée de deux tours rondes, qui s'achève au-dessus du vide par un éperon en « proue de navire ». Avant de gagner le second château (ou donjon San Jordi), il convient de traverser un vaste espace entouré

Haut et bas :
Peyrepertuse, « la Carcassonne céleste »,
le plus grand des châteaux cathares.
Guillaume de Peyrepertuse se révolta
contre le roi de France, et s'empara
du château voisin de Puilaurens, en 1229.

de remparts et portant quelques vestiges (l'ensemble des ruines couvre 7 000 m²).

On accède au **donjon San Jordi** par le vertigineux « escalier de Saint Louis », taillé dans le roc, à la demande du roi de France, en 1242. Ce « donjon San Jordi » est, en fait, un deuxième château, avec ses fortifications, sa chapelle, ses citernes. Dans le vaste paysage, on perçoit, au loin, le château de Quéribus.

Quéribus, l'ultime rempart

Sur la commune de **Cucugnan,** elle-même couronnée par un petit château, que rendit célèbre Alphonse Daudet et son « Curé de Cucugnan », se dresse Quéribus, le **dernier château-refuge** des Cathares, qui ne succomba que onze ans après Montségur. Mentionné dès 1020, il appartint, comme Peyrepertuse, aux comtes de Besalu, puis de Barcelone, puis au roi d'Aragon. Très isolé, le château ne fut pas attaqué par la croisade. L'évêque cathare du Razès, **Benoît de Termes,** s'y réfugia après 1229 et y mourut vers 1241. Au printemps 1255, à la demande de Saint Louis, le sénéchal de Carcassonne, Pierre d'Auteuil, appuyé par le sénéchal de Beaucaire, assiégea la dernière forteresse cathare, tenue par **Chabert de Barbeira,** et la bombarda. Les versions divergent sur la chute de Quéribus.

Pour les uns, vers août 1255, manquant d'eau, Chabert de Barbeira aurait négocié sa reddition par l'intermédiaire d'Olivier de Termes, obtenant que tous les occupants du château, cathares ou non, aient la vie sauve (et des hérétiques, il y en avait, dont le diacre Pierre Paraire). Mais, selon toute vraisemblance, c'est en mars 1256 que Chabert de Barbeira, attiré dans un guet-apens et fait prisonnier par son ex-ami, **Olivier de Termes**, aurait rendu le château contre sa liberté. Il aurait en même temps rendu Puilaurens. Après 47 ans de lutte armée et de persécutions, le Catharisme, avec Quéribus, venait de perdre son ultime défenseur. Le château, devenu forteresse royale, fut abandonné au traité des Pyrénées (1659).

Gardien du col du Grau de Maury, Quéribus, **ouvert à la visite**, est un château aux dimensions fort exiguës, surmontant un étroit piton rocheux, faisant immanquablement penser à une dent, à un croc prêt à mordre le ciel. Le château lui-même, massif et peu élevé, ressemble à un de ces **blockhaus** du mur de l'Atlantique. Après une courte marche et un escalier

L'accès au château de Quéribus.

Cucugnan dont le « curé » fut rendu célèbre par Alphonse Daudet.

taillé dans le roc qu'il faut gravir, le visiteur passe une porte étroite souvent battue par un vent violent, et doit encore franchir le labyrinthe d'une triple enceinte avant d'atteindre le donjon. On remarquera les murailles percées de canonnières qui indiquent un aménagement postérieur à l'époque cathare. Devant le donjon, s'ouvre une étroite cour que barrent les restes d'un corps de logis. Ce **donjon massif**, flanqué d'une tour carrée du XIIIe, et dont la porte protégée s'ouvre à deux mètres du sol, dissimule, en son cœur, le trésor de Quéribus. Que vient faire dans ce donjon militaire cette vaste **pièce gothique** reposant sur un unique pilier cylindrique dont le sommet s'épanouit en huit nervures ? S'il est possible d'assimiler cette pièce à la « chapelle Saint-Louis », restaurée au XVe, son architecture, probablement plus ancienne, ne manque pas de poser des énigmes. Pourquoi le **pilier** est-il **décentré** vers le sud-est ? Une cheminée suspendue dans le vide et l'ébrasement muré d'une fenêtre plaident pour une réorganisation du donjon primitif. En effet, si l'aspect général du donjon de Quéribus est dû à des modifications postérieures à l'époque cathare (XIIIe, XVe, voire XVIIe siècle), on peut encore voir les restes du donjon cathare (XIe et XIIe), à droite de la porte, dans un mur percé de trois meurtrières. L'historien **Fernand Niel**, comme pour Montségur, a étudié **l'orientation** générale du donjon et, calculant quel jour de l'année le soleil franchissait chaque fenêtre pour venir éclairer le pilier, il en conclut que Quéribus est une sorte **d'horloge solaire** astronomique et zodiacale (rappelons que les donjons, comportant toujours une chapelle ou un oratoire, lieu sacré, devaient être orientés). La légende, s'emparant de l'Histoire, fit de Quéribus une des caches du Graal.

Quéribus : ci-dessus : *le donjon massif.*
En bas à gauche : *le rempart.*
En bas à droite : *le site.*
Refuge de l'évêque Benoît de Termes
et des derniers Cathares, Quéribus ne fut rendu
que vers 1256 par Chabert de Barbeira.

Ci-contre : *le paysage audois, du haut de la forteresse de Quéribus.*

En haut et en bas :
*Au milieu des vignes des Corbières,
le château d'Aguilar fut oublié par la croisade.*

Aguilar, *l'oublié*

Aguilar, le plus oriental et le plus oublié des grands châteaux cathares, perché au-dessus des vignes des Corbières, à l'est de **Tuchan**, montre son donjon carré du XIIe, édifié par les Termes, entouré d'une double enceinte (XIIe-XIIIe) flanquée de six tours rondes. Au-dessous du château, subsiste la minuscule chapelle castrale Sainte-Anne. Il appartint aux comtes de Barcelone. Bien que lié au destin du château de Termes, il ne joua aucun rôle militaire pendant la période cathare. **Olivier de Termes** le remit à Saint Louis en 1241.

Entre Quéribus et Aguilar, le village de **Padern** est surmonté par les ruines de son château, occupé pendant la croisade, dont le seigneur participa à la défense de Toulouse, en 1219. Padern fut à nouveau pris en 1248.

Villerouge-Termenès : *martyre et prophétie de Guillaume Bélibaste, dernier parfait*

Rien ne prédisposait le **village médiéval** de Villerouge-Termenès, avec sa demeure sculptée, son église

En haut et en bas :
*Le château de Padern fut occupé pendant la croisade,
et à nouveau en 1248.
Son seigneur participa à la défense de Toulouse.*

*Dans la cour du château de Villerouge-Termenès,
le 24 août 1321, fut brûlé Guillaume Bélibaste,
dernier parfait connu d'Occitanie.*

romane et son château, dont l'enceinte carrée s'alourdit de quatre grosses tours rondes, à entrer dans l'histoire du Catharisme, s'il n'avait été le lieu de sacrifice du dernier parfait d'Occitanie, **Guillaume Bélibaste**, **brûlé** dans la cour du château, le 24 août 1321. Guillaume Bélibaste naquit à Cubières (Aude), dans une famille de paysans cathares, vers 1280. A la suite du meurtre d'un berger, il se fit initier au Catharisme à Rabastens, par le parfait Philippe d'Alairac. Il fut arrêté une première fois en 1308, mais parvint à s'évader. Vivant de part et d'autre des Pyrénées, entre France et Espagne, auprès d'une compagne (ce qui était contraire à la règle), il prêcha dans la région de Montaillou. Dénoncé par le traître **Arnaud Sicre** à l'inquisiteur Jacques Fournier, emprisonné à Carcassonne, il fut condamné à être brûlé vif près de son village natal. Sur le bûcher, on lui prête cette **prophétie** : « Au bout de sept cents ans, le laurier reverdira. » C'était en 1321, il y a... près de sept siècles.

Termes : le château « humainement imprenable »

On a peine à croire, à la vue des maigres ruines qui surmontent une colline du vallon du Sou, que Termes, **capitale du Termenès**, put être cette forteresse « humainement imprenable » décrite par Pierre des Vaux de Cernay. Le très puissant **Raymond de Termes**, cathare, fils d'excommunié, figure parmi les grands défenseurs de « l'hérésie ». Son frère, Benoît de Termes, fut l'évêque cathare du Razès. Après la chute de Carcassonne et de Minerve, à la fin juillet 1210, l'armée croisée se porta devant Termes, non sans crainte. « Pour atteindre le château, il faut d'abord se précipiter dans l'abîme, puis, pour ainsi dire, ramper vers le ciel », nous dit Pierre des Vaux de Cernay. Face à un château puissant, fortement défendu, cachant quelques parfaits, dont la mère et le frère de l'évêque catholique de Carcassonne, soutenu par Pierre-Roger de Cabaret qui guerroie sur les arrières des croisés, le siège allait durer **quatre longs mois**. Après le traditionnel duel d'artillerie (l'assaut étant exclu), Montfort s'empara des faubourgs du village qui se situait alors tout près de la forteresse, puis du bastion du Termenet. Les combats quotidiens, enragés, usèrent les combattants. Raymond de Termes, à court d'eau, ne pouvant se ravitailler au torrent, accepta de livrer sa forteresse, mais lorsque Guy de Lévis se présenta à la porte du château pour en prendre possession, une bénéfique pluie d'orage emplit les citernes et Raymond changea d'avis et décida de conserver la place. Dans la nuit du 22 au 23 novembre 1210, les croisés s'aperçurent que les assiégés évacuaient le château ; **l'eau des citernes était polluée** et la dysenterie faisait des ravages dans leurs rangs. Montfort, furieux et fatigué par ce long siège, fit **tuer** ou **brûler** tous ceux qu'il put prendre. Raymond de Termes eut pourtant la vie sauve. Fait prisonnier, il mourut dans les geôles de Carcassonne, trois ans plus tard. Ses fils, **Olivier** et **Bernard**, faidits, combattirent la croisade, avant de se soumettre au roi de France en 1227. Olivier dirigea la révolte des faidits de 1240 puis devint le très fidèle allié de Louis IX en Terre sainte. Montfort confia Termes à son fidèle Alain de Roucy.

De la puissante forteresse, **ouverte à la visite**, on peut encore, malgré l'état de ruine avancée (il fut décidé de la démolir au XVIIᵉ siècle), deviner le plan : deux enceintes (dont une du XIIIᵉ) entouraient un donjon et des corps de logis. On remarquera particulièrement les restes de la **chapelle** du XIIᵉ, voûtée en berceau, percée, à l'occident, d'une très belle fenêtre cruciforme. L'église du village date de 1163.

Arques, le « donjon de Déodat Roché »

Un peu à l'écart du village se trouve la silhouette caractéristique, haute et solitaire, du **donjon carré** d'Arques (XIIIᵉ-XIVᵉ), cantonné de quatre tourelles en échauguette, inscrit dans un carré délimité par quelques vestiges de remparts et de tours arasées. Montfort détruisit le village et l'ancien château, puis remit le fief à son compagnon, Pierre de Voisins, dont les descendants firent édifier, à la fin du XIVᵉ, l'actuel donjon, **chef-d'œuvre de l'architecture militaire.** Vers 1300, selon les registres de l'inquisiteur Jacques Fournier, Arques comptait encore quelques Cathares dont Pierre Maury, compagnon de Bélibaste. Sur la commune, quelques grottes servirent de refuge aux parfaits. En **visitant** le donjon, siège d'une baronnie du Razès, on peut voir quatre salles superposées, dont les culots d'ogives portent des sculptures « courtoises ». Dans le village, on peut encore voir le **clocher** de l'église, reste de l'ancien château, cité en 1154, la maison Granger, du XIVᵉ et le **musée** consacré à **Déodat Roché**, écrivain, fondateur des « Cahiers d'études cathares », qui naquit et mourut à Arques (1877-1978) et à qui le « renouveau cathare » doit beaucoup.

Rennes-le-Château : l'énigme sacrée ?

Qui y a-t-il de commun entre le Catharisme et Rennes-le-Château, l'antique Rhedae, **capitale du Razès**, et du dernier royaume wisigoth ? Rien, peut-être, sinon le **mystère**. Après la prise de Termes, Simon de Montfort s'empara sans résistance du village fortifié de Rennes-le-Château, le fit démanteler et le confia à son lieutenant, Pierre de Voisins. L'**énigme moderne** de Rennes-le-Château débute en 1885 avec l'arrivée de son nouveau curé, **Bérenger Saunière**. A l'occasion de travaux dans son église, celui-ci semble bien avoir trouvé un trésor, un trésor fabuleux, grâce auquel il pourra, jusqu'à sa mort, en 1917, entreprendre d'importants et coûteux travaux (réfection de son église, construction de la villa Béthanie et de la tour Magdala, etc.), mais, et c'est peut-être là que réside en fait le mystère. Il ne s'agit pas seulement d'un trésor monétaire : l'abbé Saunière effectue des recherches archéologiques puis, fréquente, à Paris, les milieux ésotéristes. Il reçoit des

Le donjon d'Arques, édifié par les descendants de Pierre de Voisins, compagnon de Simon de Montfort.

aides d'illustres familles royales et impériales et finit par être condamné par son propre évêque. De cette singulière histoire, ici esquissée, est sortie une **immense littérature**, parfois fantaisiste, mais au travers de laquelle on parvient à poser quelques interrogations précises. D'où provient la fortune de cet humble petit curé de campagne ? On a beaucoup parlé du **trésor des Wisigoths** dont Rhedae fut la capitale, au Vᵉ siècle, d'un trésor gaulois provenant du pillage de Delphes, de celui des Templiers, bien sûr, et de celui des **Cathares,** et d'autres encore. Que recelaient les **parchemins codés** trouvés par Saunière ? L'intérêt des Habsbourg pour Rennes-le-Château plaide en faveur de la thèse d'une généalogie mérovingienne qui aurait rendu légitime une revendication au trône de France ; la vive condamnation de l'Église suggère un **contenu hérétique** : théorie gnostique sur la personne du Christ ? ou bien une généalogie des descendants de Jésus et de Marie-Madeleine ? Tout ceci peut fort bien n'être qu'un canular, à la base d'un **complot monarchiste**, mais à quand remonterait-il ? Les documents de Saunière dateraient d'avant la Révolution, mais il semble bien que le mystère de Rennes-le-Château ait été connu au XVIIᵉ siècle. Alors, pourquoi pas un **canular médiéval** ? Une chose est certaine, qui se plonge dans ce mystère passionnant aux ramifications les plus inattendues (Cathares, Templiers, Rose-Croix, Franc-Maçonnerie, sociétés secrètes...) découvre un monde fascinant de cryptogrammes, d'énigmes historiques, archéologiques et religieuses propres à enflammer l'imagination. Pour l'instant, le mystère ou plutôt les mystères restent entiers.

Le **village perché** de Rennes-le-Château a conservé des restes de fortifications. En parcourant le minuscule village qui ne compte que 80 habitants, contre 30 000 au temps de sa splendeur (selon les affirmations de certains), on découvrira les constructions de l'abbé Saunière : la **tour Magdala** et la **villa Béthanie**. A présent placé devant l'église et surmonté d'une Vierge de Lourdes, on peut voir le **pilier wisigothique** où Saunière découvrit de curieux parchemins. Au-dessus de la porte de l'église, une inquiétante inscription vous accueille « terribilis est locus iste » (cet endroit est un lieu terrible) ; la porte à peine franchie, le regard pétrifiant du **diable Asmodée**, supportant le bénitier, achève de vous intriguer. Chemin de croix énigmatique, décor maçonnique, inscriptions mystérieuses, on n'en finirait pas de décrire cette étrange

Ci-contre : *Rennes-le-Château, sur les pas de l'abbé Saunière.*
En haut à gauche : *la villa Béthanie.*
En haut à droite : *le pilier wisigothique.*
En bas : *la tour Magdala.*

« Terribilis est locus iste » : à l'intérieur de l'étrange église de Rennes-le-Château, le terrifiant diable Asmodée.

Les ruines de la forteresse de Coustaussa. En 1211, Montfort en fit massacrer la garnison.

église où l'abbé Saunière a peut-être voulu dissimuler les clefs d'un mystère qu'il emporta dans la tombe, et que de nombreux curieux, venus de l'Europe entière, passionnés, cherchent toujours. En vain ?

En face de Rennes-le-Château, on découvre les restes ruinés de la forteresse de **Coustaussa**, bâtie en 1157, occupée sans combat par Montfort en 1210. Il dut

l'assiéger à l'automne 1211, fit massacrer la garnison et piller et brûler le village.

Alet, une macabre cérémonie

Au sud de Limoux, Alet, village médiéval fortifié, présente encore des restes de son enceinte, percée des deux portes, Calvière et de la Cadène. De splendides demeures des XIIIe, XIVe et XVe siècles, à colombages, parfois sculptées, entourent son église Saint-André édifiée entre 1318 et 1333, et son palais épiscopal. Mais le principal intérêt du village réside dans son **ancienne cathédrale** des XIe et XIIe siècles (belle abside sculptée) et les restes de sa **célèbre abbaye** du XIIe, fondée par le comte du Razès en 813, dont on peut encore admirer la chapelle, le cloître et la salle capitulaire.

Isolé dans son abbaye catholique en pays cathare, **Pons Amiel**, abbé de 1167 à 1197, fit fortifier la ville. Sage et inutile prudence. A sa mort en 1197, le chapitre avait désigné pour le remplacer, Bernard de Saint-Ferréol. Le Cathare **Bertrand de Saissac**, tuteur du vicomte Raymond-Roger Trencavel, n'approuvant pas ce choix, pénétra de force dans l'abbaye, non sans avoir tué quelques moines au passage, fit jeter en prison le nouvel élu, puis

L'abbaye d'Alet. Lors d'une macabre cérémonie, présidée par le cadavre de l'abbé Pons Amiel, Bertrand de Saissac imposa un nouvel abbé favorable aux Cathares.

*L'abbaye de Lagrasse. Son puissant abbé
combattit le seigneur de Termes,
favorable aux Cathares, et s'associa à la croisade.*

*Sur la commune de Barbeira, le château d'Alaric
(ou de Miramont) fondé par les rois wisigoths.
La garnison laissée par Montfort y fut massacrée.*

exhuma et plaça sur son siège abbatial la **dépouille** de Pons Amiel. C'est ainsi que sous la **macabre présidence d'un cadavre**, il fit élire l'abbé Boson, favorable aux Cathares. L'archevêque de Narbonne entérina ce choix contre une coquette somme d'argent. Boson ne fut chassé qu'en 1222, après avoir livré Alet au comte de Foix.

Limoux « faidit et rebelle »

Limoux, sous-préfecture de l'Aude, 11 000 habitants, chef-lieu du Razès, fut occupée sans combat par Montfort en 1209. Libérée en 1221, déclarée « faidit et rebelle », elle fut au centre de ce qu'on appela la « **guerre de Limoux** » (les faidits étaient des seigneurs dépossédés de leurs fiefs par la croisade). Capitale des faidits révoltés, en 1240, sous les ordres du dernier des Trencavel, elle vit sa forteresse rasée. Malgré le pittoresque de sa place des arcades, Limoux a conservé peu de traces de son passé cathare. On peut toutefois découvrir son **église Saint-Martin** du XIIe (remaniée aux XIVe et XVe), une tour du rempart et, dans son musée, la stèle « cathare » trouvée à Baraignes.

Au nord de Limoux, **Pieusse** vit la réunion, en 1226, d'un important **concile cathare**, un des derniers, rassemblant une centaine de parfaits, sous la présidence de **Guilhabert de Castres.** C'est au cours de ce concile que fut créé l'évêché du Razès ; Benoît de Termes en devint l'évêque, avec Raymond Agulher pour fils majeur, et Pons Bernardi pour fils mineur. De cette époque subsistent une tour, vestige du château (la mère du seigneur était parfaite), l'enceinte du village et l'église Saint-André.

L'abbaye de *Lagrasse*

En bordure des Corbières, Lagrasse fut au Moyen Age la plus **célèbre** et **puissante abbaye** du comté de Toulouse. Sa fondation remonte à 778. Un roman médiéval, « Philoména », attribue son origine à Charlemagne. L'abbé de cette très riche abbaye fut un véritable prince, en rivalité avec le seigneur de Termes. Il soutint Montfort dans sa croisade. Il participa même à la bataille de Muret. Le village a conservé une bonne partie de ses fortifications de **bastide** : tour, rempart, porte. Les demeures médiévales sont pour la plupart du XVe. La halle, érigée en 1315, est entourée d'une place aux couverts sculptés. Un pont du XIIe, autrefois fortifié, enjambe l'Orbieu pour relier la ville à l'abbaye de grès rose, **ouverte à la visite**. La plupart des bâtiments abbatiaux ne remontent qu'au XVIIIe (cloître, logis). L'église, des XIIIe et XIVe, montre un puissant **clocher-donjon**, érigé au XVIe ; le croisillon sud, quant à lui, remonte au XIe. Du Moyen Age, on découvre encore une porte du XIIIe, donnant accès à une tour préromane, le dortoir des moines et le cellier (XIIIe), la galerie supérieure du vieux cloître, ornée de sculptures du XIIe. La chapelle de l'abbé Auger, édifiée en 1296, a gardé ses fresques (Jugement dernier, Arbre de vie).

Dominant l'autoroute Toulouse-Carcassonne, le château d'**Alaric** (ou de Miramont), sur la commune de **Barbaira**, évoque son fondateur légendaire Alaric II, roi des Wisigoths. Il présente les ruines de son donjon carré, entouré d'une double enceinte. La garnison placée par Montfort sous les ordres de deux chevaliers y fut massacrée en novembre 1209.

Vue générale de la bastide et de l'abbaye de Lagrasse.

Narbonne *et l'abbaye de* Fontfroide

A l'est du département, Narbonne, capitale de la Gaule romaine et des rois wisigoths, aujourd'hui sous-préfecture de l'Aude (40 000 habitants), n'a joué qu'un rôle somme toute secondaire dans l'épopée cathare. Son **archevêque Bérenger**, le plus puissant prélat de la région, sut rester fidèle au Catholicisme, tout en monnayant son aide aux Cathares. Innocent III le rendit responsable du développement de « l'hérésie » : « tel prêtre, tel peuple ». Menacé dans ses fonctions, le simoniaque archevêque rejoignit la croisade, après le massacre de Béziers, et participa même au siège de Minerve. Il fut tout de même remplacé, en 1212, par **Arnaud-Amaury**, le cruel et impitoyable chef de la croisade qui s'octroya, par la même occasion, le titre de **duc**, devenant ainsi le rival de Simon de Montfort avec lequel il eut de **nombreux démêlés**. Pour se venger de l'archevêque, Montfort fit détruire les murailles de Narbonne et revendiqua le titre de duc. Arnaud-Amaury **l'excommunia** au printemps 1216 !

Le principal intérêt touristique de Narbonne réside dans l'ensemble formé par la **cathédrale Saint-Just** et le **palais des archevêques**. La cathédrale gothique fut érigée à partir de 1272. On remarquera son style aérien et l'impressionnante élévation de ses voûtes. On peut découvrir dans le palais des archevêques, **ouvert à la visite**, plusieurs musées (archéologie, art et histoire). Bâti et agrandi entre le XIIe et le XIXe siècle, il a conservé d'importants restes du Moyen Age : palais-vieux (XIIe), donjons Gilles-Aycelin et de la Madeleine (XIIIe). L'ancienne cuisine des évêques (XIVe) est consacrée à la sculpture médiévale. D'autres lieux évoquent l'époque cathare : basilique Saint-Paul-Serge (XIIIe), musée lapidaire (XIIIe). Dans les quartiers anciens, qui ne manquent pas de charme, on remarquera particulièrement les vestiges de la bourse aux draps (XIIIe-XIVe).

A quelques kilomètres au sud-ouest de Narbonne, la célèbre **abbaye cistercienne de Fontfroide** est **ouverte à la visite**. Fondée en 1097, elle essaima à Poblet, en Catalogne. Pierre de Castelnau y résida avant de partir prêcher contre « l'hérésie ». Jacques Fournier, le futur pape Benoît XII, y fut abbé, de 1311 à 1317. Arnaud-Amaury y mourut le 29 septembre 1225. Nichée au creux d'un paisible vallon, à la pointe sud-est des Corbières, l'abbaye a conservé l'aspect qui était le sien à l'époque cathare, l'essentiel des bâtiments datant des XIIe et XIIIe siècles. De cet ensemble, d'où émane une profonde spiritualité, on remarquera particulièrement l'élégant cloître sculpté et la belle **église cistercienne** émouvante de simplicité.

L'abbaye cistercienne de Fontfroide, où résidèrent Pierre de Castelnau, Jacques Fournier et Arnaud-Amaury.

Le cloître de la cathédrale Saint-Just à Narbonne. Le redoutable Arnaud-Amaury, chef de la croisade, devint archevêque de Narbonne.

Les murailles de Carcassonne. La capitale de la vicomté du jeune Raimon-Roger Trencavel tomba par traîtrise en août 1209.

Ci-contre : *Carcassonne : la porte Narbonnaise. En 1240, le fils de Raimon-Roger dirigea la révolte des faidits, mais ne put reprendre sa ville.*

Carcassonne : Trencavel trahi

Carcassonne fut une zone de forte implantation « hérétique ». En 1167, le concile de Saint-Félix-de-Caraman y créa un **évêché cathare,** avec Guiraud Mercier à sa tête. Les évêques cathares les plus connus de la cité furent Bernard de Simorre (1204) et Pierre Isarn, brûlé en 1226. Après la chute de Carcassonne, les évêques résideront à Cabaret et en Cabardès. En 1204, Pierre II d'Aragon organisa un colloque à Carcassonne pour tenter de réconcilier Cathares et Catholiques. La vicomté de Béziers et Carcassonne, fief des Trencavel, ayant été déclarée **en proie,** une semaine après le massacre de Béziers, le 28 juillet 1209, la croisade était au pied des murs de Carcassonne. Le jeune vicomte de 24 ans, **Raymond-Roger Trencavel** ayant déjà perdu Béziers, allait devoir défendre sa cité capitale, que trente tours semblaient rendre imprenable. Le 3 août, un faubourg de la ville, le Bourg, fut pris et incendié. Le 7 août, après des combats acharnés, le faubourg du Castellar fut lui aussi pris d'assaut. Les habitants de Carcassonne commençaient à souffrir du manque d'eau et de maladie. Selon une chronique de l'époque, Pierre II d'Ara-

gon vint tenter une médiation, mais renonça devant l'intransigeance des croisés. Bien que catholique (il était le beau-frère de Pierre II d'Aragon), Trencavel était un ardent défenseur du Catharisme. Mais il était surtout un noble et fier chevalier, et pour lui, la parole donnée avait valeur de loi. Son grand sens de **l'honneur** face à des croisés félons allait causer sa perte. Entre le 11 et le 13 août, Arnaud-Amaury, légat du pape, chef de la croisade, offrit au jeune comte de venir négocier, lui garantissant la sûreté. Trencavel accepta ; peut-être même se proposa-t-il en otage pour sauver sa ville. A peine arrivé dans le camp croisé, il fut fait **prisonnier**. Désemparés, les Carcassonnais abandonnèrent la place, « n'emportant que leurs péchés ». Il n'y eut pas de massacre comme à Béziers mais la cité fut mise à sac. Enfermé dans un cachot de Carcassonne, Trencavel mourut trois mois plus tard, le 10 novembre, de maladie dit-on ou, plus probablement, assassiné. Les grands barons du Nord refusèrent tous de se voir attribuer la vicomté de Trencavel. Ce fut donc un seigneur d'Ile-de-France, plutôt pauvre mais vaillant (il s'était illustré en Terre sainte) qui prit le fief : **Simon de Montfort.** Carcas-

*Sur fond de vignes, la cité de Carcassonne,
un des quatre évêchés cathares primitifs.*

*La cité de Carcassonne, fortifiée à l'époque gallo-romaine,
puis lors de la période cathare et, enfin, par Saint Louis.*

sonne devint sa capitale et, après sa mort, il fut inhumé dans sa cathédrale. Ce n'est qu'à l'automne 1223, après un siège, que Raymond VII et Roger-Bernard de Foix purent reprendre la ville. Elle se soumit au roi de France, le 16 juin 1226. En 1240, le jeune Trencavel, fils de Raymond-Roger, prit la tête de la **révolte des faidits** et, le 8 septembre, assiégea sa capitale. Sous les ordres de Guillaume des Ormes, la cité résista 34 jours et Trencavel dut finalement s'enfuir sous la menace d'une armée royale.

Aujourd'hui préfecture de l'Aude, avec 46 000 habitants, Carcassonne se divise en « **ville basse** » et « **cité** ». Cette dernière constitue **un des plus grands ensembles médiévaux au monde.** La splendide **ville-forteresse** que l'on découvre aujourd'hui n'est pas exactement celle des Trencavel, son aspect actuel lui ayant été donné, peu après la croisade, par Saint Louis et Philippe le Hardi. A partir de 1844, à l'initiative de Viollet-le-Duc et jusqu'en 1930, Carcassonne fut entièrement restaurée. La ville est encore entourée de **deux enceintes** séparées par de vastes lices. L'enceinte extérieure (1 672 m), ornée de 14 tours, fut édifiée sous Saint Louis. L'enceinte intérieure (1 287 m) hérissée de 34 tours raconte, à elle seule, l'histoire de la ville : tours gallo-romaines (dites wisigothiques), fortifications datant des Trencavel, puis additions de la fin du Moyen Age. Une fois franchies les défenses de la redoutable **porte Narbonnaise**, véritable château, on pénètre dans la cité médiévale dont les ruelles grouillantes de vie évoquent les belles heures du Moyen Age. A droite de l'entrée, on peut voir la remarquable tour du Trésau et, à gauche, la tour de la Vade. Le **Château Comtal**, forteresse dans la forteresse, avec ses six tours qui regardent l'intérieur de la ville, est **ouvert à la visite.** On y découvre, entre autres, des pein-

tures pariétales romanes et un musée lapidaire consacré au Moyen Age (stèles discoïdales « cathares »). On peut ensuite gagner la **cathédrale Saint-Nazaire** en suivant le rempart, par la tour de la Justice, la porte de l'Aude, la tour carrée de l'Évêque et la très redoutée **tour de l'Inquisition.** Au début du XIVe siècle, le moine franciscain **Bernard Délicieux** dirigea une révolte des Carcassonnais qui, excédés par les cruautés des inquisiteurs, prirent d'assaut les « **murs** » de la ville. On désignait alors par « murs », les différentes sortes de prisons dans lesquelles étaient enfermés les Cathares (ou déclarés tels). Le « Murus strictissimus » de sinistre mémoire, était une antichambre de la mort. Ses cachots étaient totalement privés de lumière. La cathédrale a conservé sa nef, bénie par le pape Urbain II en 1096. Le transept et le chœur furent érigés entre 1269 et 1320. On remarquera les beaux vitraux (XIIIe et XIVe) et parmi les nombreuses statues, encastrée dans le mur, la « **pierre**

*Pierre tombale dite de « Simon de Montfort ».
Après sa mort au siège de Toulouse, en 1218,
le chef croisé fut inhumé
dans la cathédrale de Carcassonne.*

Le Château Comtal de Carcassonne recèle un musée lapidaire où se découvrent des stèles discoïdales « cathares ».

du siège » représentant, selon la tradition, le siège de Toulouse, où Montfort trouva la mort. Mais Carcassonne ne se résume pas seulement à la Cité. Pour avoir rallié Trencavel, lors de la révolte de 1240, les habitants des faubourgs virent leurs maisons détruites et furent déportés vers une **bastide** de la rive gauche de l'Aude : la « **ville basse** ». On y découvre la cathédrale Saint-Michel (XIIIᵉ), l'église Saint-Vincent (XIIIᵉ-XVᵉ) aux remarquables statues et l'église des Carmes (XIIIᵉ-XIVᵉ). La « ville basse » a conservé son plan en damier et de belles demeures anciennes.

Montréal *et le miracle de Fanjeaux*

Dans la plaine du Lauragais, l'imposante **église collégiale** fortifiée du XIVᵉ écrase quelque peu de sa masse le village de Montréal. C'est tout ce qui reste de ce haut lieu du Catharisme. La plupart des familles nobles étaient « croyantes » et le principal seigneur, **Aimery de Montréal,** favorisa l'implantation du diacre Pierre Durand, ainsi que l'ouverture de nombreuses « maisons », dont celle de la noble dame Fabrissa de Mazerolles. En 1207, se tint à Montréal une célèbre **conférence contradictoire**. Parmi les défenseurs du

Catharisme se trouvaient **Guilhabert de Castres**, Benoît de Termes, Arnaud Othon... côté catholique, **saint Dominique** et Pierre de Castelnau. C'est au cours de cette réunion qu'aurait eu lieu le « **Miracle** » **dit de**

L'église de Montréal.
En 1207, lors d'une conférence contradictoire opposant le parfait Guilhabert de Castres à saint Dominique, un « miracle » favorisa le camp catholique.

La croix de Fanjeaux évoque le souvenir de saint Dominique, qui combattit pacifiquement le Catharisme.

Ci-contre : *Vu d'avion, Bram dévoile son étrange architecture circulaire, datant du Moyen Age. Au printemps 1210, Montfort y fit mutiler une centaine de prisonniers.*

Fanjeaux. Livré à l'ordalie (le jugement de Dieu par le feu), le parchemin des Cathares aurait été consumé, tandis que celui des Catholiques fut projeté au-dessus des flammes et vint brûler une poutre du plafond. Un tableau de Fra Angelico (visible au Louvre) retrace la scène. Malgré le « miracle », les « arbitres » refusèrent de proclamer un vainqueur. Mais il dut frapper certains esprits car 150 « hérétiques » se convertirent. A l'automne 1209, le village, déserté, fut envahi par les croisés. En février 1221, Raymond le Jeune et Roger-Bernard de Foix reprirent Montréal. Au cours de l'assaut, le seigneur du lieu, **Alain de Roucy**, celui-là même qui avait abattu Pierre II d'Aragon à la bataille de Muret, fut mortellement blessé.

Fanjeaux et le souvenir de saint Dominique

Bien avant la croisade, de nombreux parfaits tenaient « maisons » et ateliers de tissage à Fanjeaux. En 1204, en présence de son frère, Raymond-Roger, **Esclarmonde de Foix** fut « ordonnée » parfaite par Guil-

habert de Castres. Ce dernier vivait déjà à Fanjeaux en 1193, et y prêchait encore en 1225. C'est dans ce haut lieu de « l'hérésie » que vint s'installer un religieux espagnol envoyé par Innocent III pour combattre le Catharisme : **Dominique Guzman**. Le futur saint Dominique y résida en effet neuf ans, vivant dans la pauvreté et l'austérité, à la manière des parfaits cathares, et y obtint de nombreuses conversions. On a longtemps, et **à tort**, associé l'image de saint Dominique à celle de la croisade et de l'Inquisition. Saint Dominique, **avec conviction mais sans violence**, prêcha avec constance contre « l'hérésie », refusant tous les honneurs ecclésiastiques (il ne fut, et pendant peu de temps, que curé de Fanjeaux). Il se tint éloigné de la fureur des combats et jamais ne prêcha la croisade, même si celle-ci lui semblait inévitable. Il fonda le **monastère de Prouille**, couvent pour les femmes converties, puis, à Toulouse, en 1215, **l'ordre des Frères Prêcheurs** (les Dominicains). Ce sont eux qui, plus tard, jouèrent le rôle d'inquisiteurs, après la mort de saint Dominique, survenue en 1221. A l'automne 1209, Montfort envoya une troupe de routiers aragonais occuper Fanjeaux, déserté par ses habitants. Le village fut incendié. Le comte de Foix tenta alors de prendre d'assaut la place, devenue capitale militaire de la croisade, mais il échoua.

Aujourd'hui, Fanjeaux a tout du petit village paisible, accroché à son piton rocheux. A l'entrée, on découvre, encastrée dans le parapet du pont, une **croix discoïdale** sculptée. En parcourant les ruelles, on pourra voir le couvent des Dominicains, la **demeure de saint Dominique** et surtout la **belle église** érigée à partir de 1278 qui abrite, dans une chapelle, la **poutre brûlée** lors du « miracle de Fanjeaux » qui eut lieu... à Montréal. Une promenade conduit au **Seignabou** où un petit monument rappelle qu'en ces lieux, saint Dominique eut, en 1206, la vision d'une comète flamboyante s'abattant dans la plaine. Ce « signal du ciel » lui indiqua l'emplacement où il devait établir le monastère de **Prouille**. L'actuel monastère fut rebâti à la fin du XIXᵉ, à l'initiative de Lacordaire, sur l'emplacement du bâtiment médiéval, à 3 km à l'est de Fanjeaux (on y conserve le suaire de saint Dominique).

Bram : les horreurs de la guerre

Dans la plaine du Lauragais, entre Carcassonne et Castelnaudary, le gros bourg rural de Bram (2 700 habitants) fut le témoin d'un des plus atroces épisodes de la croisade. Au printemps 1210, Montfort assiégea Bram, place forte où les Cathares vivaient publiquement et, après trois jours, l'emporta d'assaut. Désireux de frapper les imaginations et d'anihiler toute résistance, Montfort commença par faire traîner derrière un cheval, puis pendre, un clerc français qui l'avait trahi

En haut et en bas : *Montmaur, village natal du diacre Raimon Mercier,*
vit son château occupé par Simon de Montfort, en 1211.
Au chevet de l'église se trouvent des croix cathares.

(il avait livré la place de Montréal à ses ennemis). Il fit ensuite **crever les yeux** et **couper le nez** à une **centaine de prisonniers**, puis, sous la conduite de l'un d'eux à qui l'on avait permis de conserver un œil, il les envoya sous les murailles du château de Cabaret, toujours insoumis. Vers la fin de la croisade, les Cathares Bertrand Marty et Raimon Agulher prêchèrent à Bram. Quant à la parfaite Alazaïs Raseire, capturée lors de la chute de Montségur, en 1244, elle y fut brûlée. La visite de Bram peut décevoir le visiteur. Rien ne subsiste de l'époque cathare. Toutefois, si l'on survole la ville, on découvre alors son étonnante **architecture circulaire** médiévale : toutes les maisons sont, en effet, disposées en cercles concentriques autour de la puissante église du XIVe.

A l'ouest de Bram, **Laurac**, capitale du Lauragais, est un charmant village perché qui a conservé son architecture ancienne et son église fortifiée. Il fut un diaconé cathare dès 1202. En 1208, un **débat public** opposa le Vaudois Bernard Prim et le Cathare Isarn de Castres. Plusieurs « maisons » cathares co-

existaient dont celle de la célèbre parfaite **Blanche de Laurac.** Trois de ses filles reçurent le *consolamentum.* « L'hérésie » y resta active jusqu'à la fin du XIIIe siècle.

La collégiale Saint-Michel à Castelnaudary. En septembre 1211, malgré une grande infériorité numérique, Montfort remporta la bataille de Castelnaudary.

Castelnaudary, *l'occasion perdue*

Avant la croisade, Castelnaudary était gagnée à « l'hérésie ». Blanche de Laurac y tenait un « couvent » en 1205. La ville étant faiblement défendue, Raymond VI l'abandonna après l'avoir incendiée. C'est en septembre 1211 que se déroula la **bataille de Castelnaudary**. Le comte de Toulouse, associé aux comtes de Foix et de Béarn, et aux troupes du roi d'Angleterre, lança une grande offensive contre la croisade, son imposante armée « couvrant la terre comme des sauterelles » (Pierre des Vaux de Cernay). Bien inférieurs en nombre (500 contre 5 000), enfermés dans Castelnaudary, « le château le plus faible qui soit en (sa) terre », Montfort et ses croisés semblaient courir vers un désastre certain. A l'arrivée du comte de Toulouse, les habitants de Castelnaudary se révoltèrent et ravagèrent les faubourgs. Raymond VI entreprit de bombarder le château. Les renforts que Montfort attendait ayant été attaqués par Raymond-Roger de Foix, près du village voisin de **Saint-Martin-La-Lande**, Montfort, accompagné de tous ses chevaliers, tenta une audacieuse sortie pour leur venir en aide. Le manque de coordination dans le camp toulousain, l'indécision du comte Raymond VI (il n'osa pas attaquer franchement le château de Castelnaudary défendu par une poignée d'hommes), provoquèrent la **déroute de l'armée des comtes**. Le courage et la science militaire de Montfort devaient décider de la victoire. Le 24 juin 1213, à Castelnaudary, Montfort fit armer chevalier son fils Amaury. Dix-neuf ans plus tard, après la mort de Simon de Montfort, Raymond VII s'empara de Castelnaudary en 1220. Au cours de l'assaut, **Guy de Montfort,** le second fils de Simon, fut tué. Amaury, malgré huit mois de siège (de juillet 1220 à mars 1221) ne put jamais reprendre la ville. Pendant le siège, Guilhabert de Castres, Bertrand Marty et Raimon Agulher séjournèrent dans la cité. En 1240, la parfaite Raymonde Autier, réconciliée un temps avec le Catholicisme, « retourna à son vomi » et fut brûlée à Castelnaudary.

Castelnaudary (11 000 habitants), actuelle capitale du Lauragais, malgré ses beaux quartiers anciens, a conservé peu de traces de son époque glorieuse : la collégiale Saint-Michel, des XIIIᵉ et XIVᵉ (remaniée au XVIIIᵉ), et la chapelle Notre-Dame-de-Pitié du XIIIᵉ.

A l'ouest de Castelnaudary, on peut découvrir des **stèles discoïdales** « cathares » à **Baraignes** (au cimetière), à **Belflou** (cimetière cathare et croix antropomorphe dans le parc du château de **Labarthe**), et à **Saint-Michel-de-Lanès** (sept dans le cimetière), où Catholiques et Cathares vécurent en bonne intelligence, se partageant même l'église. Le village fut détruit par Montfort au printemps 1212.

Le village du **Mas-Saintes-Puelles**, détruit par Louis VIII, ne présente plus que quelques restes de ses fortifications. Ce fut un **diaconé cathare** très actif, tenu par Isarn de Castres. L'Inquisition, qui interrogea 400 habitants en 1245, releva les noms de seize parfaits, avant la croisade. Pendant trois générations, les épouses des seigneurs du Mas furent parfaites. Guilhabert de Castres, Bertrand Marty, Jean Cambiaire fréquentèrent la place. Le chevalier Jourdain du Mas participa à l'expédition d'Avignonet et mourut en défendant Montségur.

Les Cassès, le bûcher et le christ « bogomile »

A l'extrême nord-ouest du département, Les Cassès étaient gagnés au Catharisme. Le diacre Bernard Bouffil y tenait « maison » vers 1205. Les seigneurs de Roqueville y ayant donné asile à de nombreux Cathares, Simon de Montfort s'empara du village, après un court siège en mai ou juin 1211. Il fit ériger un **bûcher** et « avec une très grande joie », y précipita les **60 (ou 94) parfaits et parfaites** qui avaient refusé d'abjurer. Ce crime marqua l'histoire du Sud-Ouest et Montaigne, dans ses « Essais », le dénonçait encore, quatre siècles plus tard. Le chevalier Arnaud des Cassès, parfait, périt sur le bûcher de Montségur.

Si Les Cassès montrent encore quelques traces du château fort et les ruines d'un couvent du XIVᵉ, c'est contre l'église que sont alignées de splendides **stèles discoïdales** et un rarissime **christ** de type « bogomile ». Notons que les stèles discoïdales ou croix « cathares » que l'on trouve dans la région toulousaine datent de l'époque cathare, mais n'ont aucun lien officiel ou

Les Cassès : christ dit « bogomile » et croix discoïdales « cathares ».
En 1211, Montfort précipita dans un bûcher les parfaits du village.

Montferrand : porte fortifiée. Après avoir rencontré Montfort, Beaudouin décida de trahir son frère Raimon VI.

Saissac, forteresse de la Montagne Noire.

connu avec le Catharisme et ornent surtout des cimetières catholiques.

Au sud des Cassès, **Montferrand** a gardé fière allure avec son église romane, ses treize stèles discoïdales, son château et ses remparts percés d'une porte. En mai 1211, la place défendue par Beaudouin, frère du comte de Toulouse, fut assiégée par Simon de Montfort. Malgré la résistance acharnée, **Beaudouin** préféra négocier. Il devint l'allié de Montfort et trahira son propre frère Raymond VI, quelques semaines plus tard, à Bruniquel.

Le diaconé de **Labécède** (église romane, restes de fortifications) accueillit Guilhabert de Castres. Son seigneur Pagan, lui-même parfait, fut arrêté en 1232. La place, assiégée par Humbert de Beaujeu et les évêques de Narbonne et Toulouse, au cours de l'été 1227, après avoir été écrasée sous les tirs des catapultes, vit sa **population** entièrement **massacrée**, « partie par l'épée,

Saissac :
A gauche : *tour du XIIe, vestige du château-haut.*
En haut : *le village.*
Ci-dessous : *les ruines du château-bas.*

partie par le pal ». Les parfaits, dont Géraud de Lamothe, furent brûlés.

Saissac, forteresse de la Montagne Noire

Au nord du département, Saissac appartient déjà
au paysage du Massif central, dans sa bordure occidentale : la Montagne Noire. Une forte communauté
cathare y fut signalée vers 1195. Son seigneur, **Bertrand de Saissac**, tuteur de Raymond-Roger Trencavel, protégeait les hérétiques, par la violence si nécessaire (cf. **Alet**). Ce Cathare cultivé recevait dans son
château des **troubadours**, tels **Peire Vidal** ou **Raimon de Miraval**. Au début de la croisade, le château,
pris sans résistance, fut attribué à Bouchard de Marly.
Saissac rejoignit la révolte de Trencavel en 1240.
L'impressionnant **château fort** dont les vastes ruines
s'étendent en contrebas du village, sur une petite fa-

laise, n'est peut-être pas celui des Cathares et seule
une partie de l'enceinte pourrait remonter au XIIIe.
Dans le village, près de l'église, on trouve **deux tours**
du XIIe qui seraient les seuls restes de la forteresse de
Bertrand de Saissac. L'église, elle-même, en partie romane, communiquait avec le château. Le village
montre encore de vieilles demeures à colombages et
des restes de fortifications.

Lastours-Cabaret, quatre châteaux en un

Dans le cadre sec et sauvage du vallon de l'Orbeil,
en bordure de la Montagne Noire, se dressent les
ruines des **quatre châteaux de Lastours** (autrefois les
Tours de Cabaret). Avant la croisade, une communauté de Cathares y vivait sous l'égide de Pons Bernardi, fils mineur de Benoît de Termes. Après la chute
de Carcassonne, les évêques cathares de la cité de

En pages suivantes : *Lastours : Tour-Régine et Cabaret. Pierre-Roger de Cabaret y combattit Montfort,
négocia avec lui... et récupéra son fief.*

*Lastours : les châteaux de Tour-Régine et Cabaret. Pierre-Roger de Cabaret y recevait
les troubadours Peire Vidal et Raimon de Miraval, qui célébraient les charmes de son épouse,
Brunissende, et de la belle Loba de Pennautier.*

Lastours : les châteaux de Quertinheux et Fleur-Espine.
Les suppliciés de Bram, envoyés par Montfort,
n'intimidèrent pas Pierre-Roger de Cabaret
dont les quatre châteaux constituaient
un remarquable ensemble défensif.

Trencavel se réfugièrent à Cabaret, tels Pierre Isarn et Guiraud Abit, ou dans le Cabardès, tel Pierre Paulhan, de 1232 à 1258. A l'automne 1209, Simon de Montfort et le duc de Bourgogne attaquèrent les châteaux de Cabaret, fief du redoutable **Pierre-Roger de Cabaret**. Avant la croisade, ce dernier tenait une cour d'amour avec les troubadours Peire Vidal et Raimon de Miraval, lequel chanta la beauté de Brunissende, l'épouse de Pierre-Roger. Tous deux célébrèrent **la belle Loba** (louve) de Pennautier, épouse d'un coseigneur de Cabaret. **Peire Vidal**, déguisé en loup, se fit même chasser par les chiens et les bergers de Loba,

pour les beaux yeux de cette dame aux mœurs étranges. Montfort et ses hommes donnèrent l'assaut mais furent repoussés. Devant les difficultés du siège, les châteaux pouvant se défendre l'un l'autre, ils abandonnèrent la partie. Quelque temps après, Pierre-Roger de Cabaret s'empara, après un bref combat, de **Bouchard de Marly**, seigneur de Saissac et cousin de Montfort, qui opérait dans les environs. Pour l'impressionner, Montfort lui envoya les cent suppliciés de Bram. Cela n'intimida pas Pierre-Roger qui, alors que Montfort assiégeait Termes, ravageait l'arrière-garde de son armée, mutilant à son tour les prisonniers. Au début de 1211, sentant le vent tourner, Pierre-Roger de Cabaret décida de libérer Bouchard de Marly et de se soumettre à Montfort. Il obtint, en échange de ses châteaux, des terres dans le Biterrois. A l'automne 1211, Raymond VI tenta vainement de reprendre Cabaret. L'habile Pierre-Roger récupéra ses forteresses en 1223 et en fit un refuge pour les Cathares. De 1226 à 1229, Cabaret servit, un peu à la manière de Montségur, de **sanctuaire cathare** contre la croisade du roi Louis VIII. La « guerre de Cabaret » fut une longue suite de guérillas et d'embuscades (un siège royal échoua) qui s'acheva par la reddition du château, après que de nombreux parfaits eurent été mis à l'abri. Entre 1273 et 1283, plusieurs châtelains de Cabaret reçurent encore le *consolamentum*.

On gagne la citadelle de Lastours, **ouverte à la visite**, en moins d'une demi-heure de marche. Le premier château qui s'offre aux visiteurs est **Cabaret**, la résidence de Pierre-Roger, mentionné en 1063. C'est un château de petites dimensions qui a conservé son donjon carré, son corps de logis et son enceinte. A quelques dizaines de mètres, au sud, sur une élévation rocheuse, **Tour Régine**, comme son nom l'indique, fut élevée à l'époque royale. Il est mentionné en 1260. Il est formé d'une unique tour ronde, autrefois protégée par une enceinte. Un peu plus au sud, **Fleur-Espine** (autrefois Surdespine), bâti en 1157, est le moins bien conservé des quatre châteaux. Une enceinte protège une sorte de donjon-corps de logis. **Quertinheux** est plus isolé. Il faut descendre un peu, puis gravir un petit piton. C'est un petit château bien conservé. D'une étroite enceinte surgit un donjon circulaire auquel est accolée une tourelle d'escalier. Au sud de Quertinheux, 100 m au-dessous, on peut voir les restes d'une **église**. Les sous-sols du château sont parcourus de **vastes grottes** qui ont pu servir aux cérémonies des Cathares. On dit aussi qu'un souterrain relierait les quatre châteaux et qu'un autre rejoindrait... Carcassonne !

Hérault

Malgré ses formidables défenses naturelles, la citadelle de Minerve succomba devant l'armée croisée. Quelque cent quarante Cathares montèrent sur le bûcher.

En pages suivantes : *Béziers : la cathédrale Saint-Nazaire surplombe le Pont-Vieux, sur l'Orb. Le 22 juillet 1209, les 20 000 habitants de la ville furent entièrement massacrés par les croisés.*

PRÉLUDE À LA CROISADE

Minerve, le premier bûcher de Simon de Montfort

Dans le paysage desséché des gorges de la Cesse, que la nature a paré de deux ponts naturels, Minerve apparaît telle une oasis dans un désert. Entouré de **profonds canyons**, le village, encore aujourd'hui, semble inacces-

sible. En juin 1210, les Narbonnais demandèrent à Montfort d'investir le « nid d'hérétiques » de Minerve, pour des raisons fort peu catholiques : les vins du Minervois concurrençaient ceux de Narbonne. Montfort, accompagné du vicomte Aimery et du simoniaque archevêque de

*A Minerve, une plaque commémore le martyre
des parfaits et parfaites, brûlés vifs par Arnaud-Amaury.*

Ci-contre : *Béziers : église de la Madeleine.
Pierre des Vaux de Cernay affirme que 6 000 personnes
y ont été massacrées le jour de la fête de la sainte
et qualifie la « coïncidence » de « miraculeuse » !*

Narbonne, escorté d'une puissante armée (1 000 à 7 000 hommes) renforcée par les Gascons de l'archevêque d'Auch, encercla la citadelle. Imprenable d'assaut, Minerve fut bombardée par quatre **catapultes** dont la plus puissante, la Malvoisine, détruisit **l'unique puits** du village. Le 27 juin, à la nuit, un commando de Minervois parvint à y mettre le feu, mais les dégâts furent minimes. Écrasés par les boulets, brûlés par le soleil, privés d'eau, les Minervois n'avaient que la reddition comme seule issue. Le vicomte Guillaume de Minerve tenta de négocier avec Montfort. Celui-ci se serait volontiers montré clément (une fois n'est pas coutume), mais le diabolique **Arnaud-Amaury**, chef spirituel de la croisade, en décida autrement. Tous ceux qui n'abjureraient pas seraient brûlés. L'abbé Guy des Vaux de Cernay se rendit dans les « maisons » des parfaits et des parfaites et essaya, semble-t-il sincèrement, de les convaincre d'abjurer, mais il lui fut répondu que « ni la mort ni la vie ne pourront nous arracher à la foi à laquelle nous sommes attachés ».

Montfort, lui-même, entreprit la même démarche mais sans succès. Seules trois femmes finirent par accepter de se « réconcilier avec l'Église ». Le 22 juillet 1210, un an après Béziers, un **bûcher** fut dressé dans le lit à sec de la rivière. **Cent quarante parfaits et parfaites** se précipitèrent d'eux-mêmes dans les flammes. Ce fut le premier bûcher de la Grande Croisade.

Enfermé dans son site en forme de presqu'île, le **minuscule village** de Minerve a conservé un caractère authentiquement médiéval. Les maigres restes de son **château**, la « candéla », dressés au-dessus du vide, rappellent le drame qui s'y est joué. En parcourant les ruelles, on découvre les restes de la double enceinte et de quelques tours, une porte frappée de la croix des **Templiers**, dite « de la maison des parfaits », le puits Saint-Rustique, détruit par Montfort. **L'église Saint-Étienne** (XIe-XIIe) est encore celle qui fut « purifiée » à l'arrivée des croisés. A l'intérieur, on découvre le plus vieil autel de France, daté de 456. Devant l'église, un monument moderne, un monolithe percé d'une **colombe**, est dédié aux victimes du bûcher

Béziers : « Tuez-les tous. Dieu reconnaîtra les siens »

Les bourgeois de Béziers avaient déjà montré leur courage et leur violence, lorsque le 15 octobre 1167, ils **assassinèrent leur vicomte**, Raymond Ier Trencavel, dans l'église de la Madeleine, un chevalier du vicomte ayant tué l'un des leurs. Pour se venger, le 22 juillet 1169, son fils, Roger II, fit ravager la cité par des mercenaires aragonais. L'évêque de Béziers ayant montré peu d'ardeur à chasser les hérétiques, en 1206, saint Dominique et Pierre de Castelnau y prêchèrent pendant quinze jours. Après qu'Innocent III eut appelé à la croisade, une formidable armée (plus de 100 000 hommes) se réunit à Lyon au début de 1208, sous les ordres du légat du pape, l'abbé de Cîteaux **Arnaud-Amaury**. L'armée rassemblait les plus grands noms du royaume : le duc de Bourgogne, les comtes de Saint-Pol et de Nevers, le sénéchal d'Anjou, des prélats innombrables, mais aussi une armée de ribauds, des routiers probablement venus tout droit de la cour des Miracles, sous les ordres de leurs « roi », juché sur un trône aux sculptures obscènes. Elle se mit en route vers les terres de **Trencavel**, déclarées « en proie ». Le 21 juillet 1209, elle s'arrêta sous les murailles de Béziers. L'abbé de Cîteaux avait refusé à Trencavel le droit de se réconcilier avec l'Église. Par l'intermédiaire du vieil évêque catholique de Béziers, Renaud de Montpeyrou, venu parlementer, les croisés exigèrent que leur soient livrés 222 « hérétiques notoires » de la cité. Unanimement, les Catholiques biterrois refusèrent : « Nous nous laisserons plutôt noyer dans la mer... Mieux vaut mourir hérétiques

*La cathédrale de Montpellier. Ville libre et prospère,
Montpellier était interdite aux Cathares.
Quant à Montfort, les bourgeois de la ville
refusèrent de le recevoir et tentèrent même de le tuer.*

que vivre chrétiens. » **Noble geste, cruelle punition** !
Le 22 juillet après-midi, un détachement de l'armée occitane tenta une sortie. Mal lui en prit. Les ribauds les
repoussèrent et pénétrèrent dans la ville, suivis par toute
l'armée croisée. En une heure, la ville était prise et
l'horreur commençait. **Tous les habitants** de Béziers,
hommes, femmes, enfants, Catholiques ou Cathares, **furent
massacrés**. On estima le nombre des morts à **20 000**.
5 000 ou 6 000 personnes qui auraient trouvé refuge
dans l'église de la Madeleine furent massacrées, ainsi
que les prêtres qui tentèrent, croix en main, de s'inter-
poser. La ville fut ensuite pillée et incendiée : « **Tuez-
les tous, Dieu reconnaîtra les siens.** » Cette formule
devenue célèbre, faussement attribuée à saint Dominique (qui n'était pas là) ou à Simon de Montfort, aurait
été, selon un chroniqueur allemand, prononcée par Arnaud-Amaury. Vérité ou légende ? En tout cas, **l'esprit
en fut respecté**. Le premier combat de la croisade fut
aussi le plus meurtrier. Le ton était donné. Le massacre

servit les croisés ; de nombreuses places se rendirent
sans combattre. Quant à Béziers, elle ne joua plus aucun rôle dans l'histoire des Cathares.

Béziers (78 000 habitants), sous-préfecture de l'Hérault, a gardé ses airs de citadelle. En parcourant les
rues, aujourd'hui bien vivantes, mais dont le nom rappelle parfois le massacre, telle cette rue du Gran-Mazel
(de la Grande-Boucherie), on découvre la **cathédrale
Saint-Nazaire**. Brûlée en 1209, elle se fendit en deux,
puis fut restaurée de 1255 au XIVe. On remarquera ses
fortifications, ses chapiteaux sculptés du XIe, ses vitraux du XIIIe. Le cloître attenant, du XIVe, recèle un
musée lapidaire. Devant la cathédrale, un belvédère surplombe l'Orb qu'enjambe **le pont-vieux** (XIIIe). De
l'autre côté de la cathédrale, le musée du Vieux-Biter-
rois et du Vin, installé dans l'ancienne église des Dominicains (XIIIe), abrite d'intéressantes collections archéologiques. Un peu plus au nord, c'est dans **l'église
de la Madeleine**, du XIe, remaniée au XVIIIe, qu'aurait
eu lieu le massacre de quelque 6 000 Biterrois, selon
Pierre des Vaux de Cernay. Le chiffre semble énorme
compte tenu de la taille de l'église. On peut encore découvrir des demeures romanes et gothiques, la basilique
Saint-Aphrodise, en partie romane et préromane, et
l'église Saint-Jacques, des XIe et XIIe.

Autour de Béziers : les horreurs de *Puysserguier*

A l'ouest de Béziers, **Puysserguier** montre encore
des rues médiévales, des restes de remparts et un beau
château des XIIe et XIIIe. A l'automne 1209, **Guiraud
de Pépieux**, seigneur d'un petit fief entre Carcassonne
et Minerve, qui avait rallié Montfort après la chute de
Béziers, se révolta contre lui, s'empara du château de
Puysserguier et fit prisonnier les deux chevaliers com-
mandant la place. Montfort accourut promptement mais
ne trouva qu'un château vide. La garnison française de
50 hommes se trouvait dans les fossés du château où les
gens de Pépieux avaient tenté de les occir et de les brûler. Après avoir secouru ses hommes, Montfort, furieux,
détruisit Puysserguier. A Minerve, où il s'était réfugié,
Guiraud de Pépieux se vengea sur la personne des deux
chefs de la garnison qu'il avait pris en otages. Il leur fit
crever les yeux, couper le nez et les lèvres et les envoya nus, en plein hiver, à Carcassonne. L'un d'eux
mourut en route. Montfort, cinq mois plus tard, devait
agir de même à Bram.

A l'est de Béziers, le village perché de **Servian** a
conservé son église romane et ses remparts percés d'une
brèche, faite par les troupes de Montfort lors du siège de
1209. En 1206, l'évêque cathare du Carcassès, Bernard
de Simione, y résida. Saint Dominique et Pierre de Castelnau y discutèrent avec les Cathares du cru. Montfort
s'empara de Servian en juillet 1209, juste avant Béziers.

Gard

De chaque côté du Rhône, le château de Tarascon (au premier plan) s'oppose à celui de Beaucaire.

DU DÉCLENCHEMENT DE LA CROISADE À LA RECONQUÊTE OCCITANE

Saint-Gilles, l'assassinat du légat du pape

Aujourd'hui quelque peu oubliée, la petite ville de Saint-Gilles (11 000 habitants), sur le Petit Rhône, dans le delta de la Camargue, joua pourtant un rôle déterminant dans l'histoire occitane. Au XIe siècle, une **abbaye bénédictine** y prospéra au rythme d'un fervent pèlerinage, dédié à saint Gilles. A la fin du XIe siècle, elle servit de point de départ au comte de Toulouse, Raymond IV, qui étendit de la Provence au Quercy un do-

maine connu sous le nom des « États de Saint-Gilles ». Au XIIe siècle, le monastère, enrichi par les croisades, atteignit son apogée. Vers 1140, **Pierre de Bruis** (voir Introduction) fut brûlé à Saint-Gilles. En 1207, le légat du pape, Pierre de Castelnau, excommunia Raymond VI qui montrait peu d'ardeur à chasser les Cathares. Au cours d'une entrevue violente entre les deux hommes, à Saint-Gilles, Raymond VI menaça de mort le légat. Le 14 janvier 1208, à l'aube, alors qu'il s'apprêtait à fran-

L'église romane de Saint-Gilles. Acceptant sa pénitence, Raimon VI, comte de Toulouse, se laissa flageller par le légat du pape, sur le parvis de Saint-Gilles.

chir le Petit Rhône pour rejoindre le pape à Rome, **Pierre de Castelnau** fut assassiné, frappé d'un coup de lance par, croit-on, un proche du comte de Toulouse. Il fut enseveli dans la crypte de l'abbaye de Saint-Gilles, puis **béatifié**. L'assassin, serviteur trop zélé, avait-il agi de sa propre initiative ? Sinon, qui arma la main criminelle ? Raymond VI ou l'ambitieux Arnaud-Amaury ? Les historiens en débattent encore. Suite à cet assassinat, le pape **Innocent III** appela à la croisade contre les Albigeois. Tandis que l'immense armée s'arrêtait à Saint-Gilles, le 18 juin 1209, Raymond VI accepta d'y faire pénitence. Devant le splendide portail de l'abbaye, le puissant comte de Toulouse s'avança, torse nu, prêta serment de fidélité au pape, puis se laissa **flageller** par le légat du pape, Milon. Le 22 juin, Raymond VI demanda à rejoindre l'armée croisée.

Une visite à la **superbe église** de Saint-Gilles s'impose. Sa **façade du XIIe** est un des plus grands **chefs-d'œuvre de l'art roman**. Les trois portails à pilastres s'ornent de sculptures sur le thème du Salut. Les parties hautes (tympan et frises) se lisent de gauche à droite et racontent la vie du Christ, de l'adoration des Mages jusqu'à l'apparition aux disciples. Le tympan central montre un **christ en majesté**, entouré du tétramorphe. Les parties basses s'ornent de scènes de l'Ancien Testament et de la mythologie, de sculptures d'apôtres et de saints. Les spécialistes reconnaissent la signature de cinq maîtres sculpteurs. L'ancien chœur de l'église romane subsiste derrière l'édifice actuel. Il est surmonté d'un petit clocher, la « **vis de Saint-Gilles** » (1142). Ce monument, demeuré exemplaire, fut visité au cours des siècles par les Compagnons du Tour de France. La **crypte romane** où reposent saint Gilles et Pierre de Castelnau est **ouverte à la visite**. Saint-Gilles montre encore l'ancien cellier des moines, du XIe et la maison natale de Guy Foulque, élu pape en 1265, sous le nom de Clément IV (musée).

Un peu à l'ouest de Nîmes, **Bernis,** qui avait rejoint Raymond VII au cours de l'été 1217, fut assiégé et pris par Simon de Montfort qui fit **pendre 173 de ses défenseurs.**

Beaucaire, la victoire de Raymond le Jeune

Sur les bords du Rhône, le **château de Beaucaire** (13 000 habitants) s'oppose, en un face-à-face remarquable (terre du roi contre terre d'empire), à celui de **Tarascon** (XIIIe, ouvert à la visite), de l'autre côté du fleuve, dans les Bouches-du-Rhône. Beaucaire vit naître, en 1197, le comte de Toulouse, Raymond VII. Au printemps 1216, n'acceptant pas d'être dépossédé de son héritage, **Raymond VII,** après avoir débarqué avec son père à Marseille, fut accueilli triomphalement par les habitants de la ville et mis le siège devant le château de Beaucaire. Il repoussa une sortie de Lambert de Thury, enferma le château derrière une palissade et fit prendre d'assaut le poste avancé de la Redorte. Le 5 juin 1216, Guy et Amaury de Montfort, Alain de Roucy et Guy de Lévis, ainsi qu'une bonne partie de l'armée croisée, arrivés devant Beaucaire, trouvèrent une ville

Le château de Beaucaire, pris par Raimon VII après trois mois de siège, vit la première grande défaite de Simon de Montfort en 1216.

Poursuivant ses conquêtes sur le Rhône, après Pont-Saint-Esprit, Mondragon, Mornas et Viviers, Montfort s'empara de Crest (Drôme), point ultime de la croisade.

En pages suivantes : *sur son étroit piton rocheux, Quéribus (Aude) se dresse tel un croc prêt à mordre le ciel.*

en armes, fortifiée à la hâte. Le 6 juin, Simon de Montfort les rejoignit. Le siège de Beaucaire devait durer trois mois (les croisés encerclaient les Occitans qui assiégeaient le château). Au cours d'une bataille rangée, à l'avantage des Occitans, un chevalier français, Guillaume de Berlit fut pris et « poétiquement » **pendu** à un olivier en fleur. Les Occitans, par le fleuve, recevaient vivres et renforts ; les Français se trouvaient isolés en pays hostile. De plus, le château de Beaucaire faiblissait sous les coups de catapultes. Au début du mois d'août, **Lambert de Thury** était totalement à cours de vivres. Le chroniqueur de la « Chanson de la croisade » affirme qu'après avoir dévoré leur dernier cheval, les assiégés songèrent à **manger les plus faibles d'entre eux.** Montfort tenta une nouvelle attaque frontale et fut à nouveau repoussé avec de lourdes pertes. Il tenta ensuite un assaut contre Beaucaire qui échoua après un combat sanglant. Le 15 août 1216, après une attaque feinte de l'autre côté de la ville, il se lança à l'assaut de la porte la moins bien défendue. La ruse fut déjouée et ce fut un « extraordinaire carnage », les croisés ayant été pris sous une grêle de flèches, de traits, de flammes et d'eau bouillante. Montfort négocia la **reddition** du château contre le retrait de Lambert de Thury et de ses compagnons. Ce fut **sa première grande défaite** et le début de la reconquête occitane sous la bannière de Raymond VII.

Le **château** de Beaucaire (XIe et XIIIe) est **ouvert à la visite.** On remarquera la chapelle romane au tympan sculpté, la tour polygonale de forme singulière, la tour ronde et les courtines. Le château abrite le musée de la Vignasse. Jusqu'au XXe siècle, Beaucaire fut célèbre pour une grande foire internationale qui s'y tenait en juillet. Elle avait été créée par Raymond VII, en 1217.

Vaucluse

Avignon, vue aérienne.
En refusant à son armée le passage sur le pont Saint-Bénezet (le célèbre « pont d'Avignon »),
les habitants de la cité s'attirèrent les foudres du roi Louis VIII.

Avignon, cité des papes « occitans »

Territoire des comtes de Provence, dépendant de **l'empereur d'Allemagne,** profitant des rivalités entre Toulouse, Barcelone et Rome (propriétaire du comtat Venaissin), Avignon tenta de préserver sa neutralité, et y parvint longtemps. Au début du mois de septembre 1209, un concile s'y réunit pour **excommunier** une deuxième fois le comte de Toulouse, Raymond VI

ayant refusé de livrer les Cathares de sa ville. Lors du soulèvement provençal de 1216, Avignon rallia résolument le camp de Raymond VII et envoya, par le Rhône, des troupes assiéger le château de Beaucaire. Par le soutien total de sa population à l'entreprise toulousaine (« mille vaillants chevaliers et une infinité de gens courageux »), Avignon fut le point de départ de la reconquête. Raymond VI et Raymond VII y tinrent un discours en février 1216. Cette même année, Guillaume de Baux, qui prétendait usurper à son profit la marquisat de Provence, fut exécuté par les Avignonnais. Lors de la croisade royale de 1226, la population avait promis le libre passage à l'armée de **Louis VIII**, mais, craignant que la ville ne soit mise à sac, elle se ravisa. Le 6 juin 1226, le roi et son immense troupe trouvèrent **porte close**. Louis VIII parlementa, menaça ; quelques-uns de ses hommes furent tués. Bien qu'Avignon fût « ville impériale », et donc protégée, il entreprit un siège long et difficile. Mal ravitaillée et assaillie sur ses arrières par Raymond VII, l'armée royale subit des tirs d'artillerie et des assauts répétés et meurtriers, tout au long des **trois mois de combats**. Mais, peu à peu, tous les seigneurs du Languedoc firent leur soumission au roi de France, leur suzerain. Le dernier fut le comte de Comminges, un des plus anciens alliés des Toulousains. Le 12 septembre 1226, de guerre lasse, Avignon capitula. L'armée royale, qui comptait déjà 2 000 morts, se vengea en massacrant une partie de la population et en pillant la ville. Avant de quitter la région, Louis VIII fit ériger, de l'autre côté du fleuve, en dehors des terres de

l'empereur Frédéric II, une forteresse qui deviendra **Villeneuve-lès-Avignon** (à visiter, cette bastide de Philippe le Bel où les cardinaux d'Avignon édifièrent leurs résidences).

Avignon (90 000 habitants), préfecture du Vaucluse, est une pure merveille. Ses vieux quartiers et, surtout, son **palais des Papes**, méritent le voyage. De l'époque des comtes de Toulouse, il ne subsiste guère que le **pont Saint-Bénezet**, le célèbre « pont d'Avignon » (ouvert à la visite), bâti en 1177, puis restauré de 1234 à 1237. Il montre encore les restes d'un châtelet, et la chapelle Saint-Nicolas, construite sur une de ses piles. Sur la place de Palais, la **cathédrale Notre-Dame-des-Doms**, bien que très remaniée au cours des siècles, a gardé des restes de la construction primitive du XIIe : le porche et ses deux **tympans sculptés**, la belle coupole qui coiffe la croisée du transept, et, à l'entrée du chœur, un siège épiscopal. Si Avignon ne connut la splendeur des cours papales qu'après la période cathare, de 1309 à 1377, il est étonnant de noter le caractère exclusivement « occitan » des pontifes avignonnais.

Avignon : la cathédrale Notre-Dame-des-Doms et le palais des Papes.
La ville eut à souffrir du long siège que lui fit subir Louis VIII en 1226.

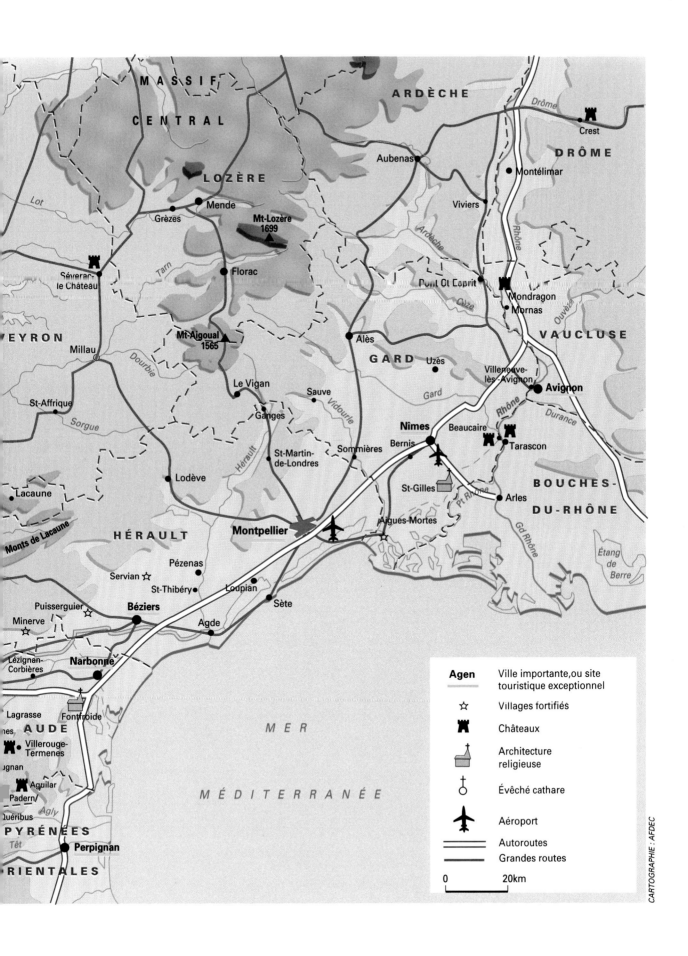

MASSIF

CENTRAL

ARDÈCHE

Drôme

Crest

DRÔME

Aubenas

Montélimar

LOZÈRE

Lot

Mende

Grèzes

Mt-Lozère
1699

Viviers

Ardèche

Florac

Pont St Esprit

Rhône

Mondragon

Mornas

Ouvèze

Tarn

Séverac-
le Château

VAUCLUSE

VEYRON

Millau

Mt-Aigoual
1565

Alès

GARD

Uzès

Villeneuve-
lès-Avignon

Avignon

Gard

Dourbie

Le Vigan

Sauve

Vidourle

Nîmes

Beaucaire

Rhône

Durance

St-Affrique

Sorgue

Ganges

Bernis

Tarascon

St-Martin-
de-Londres

Sommières

Hérault

Lodève

St-Gilles

Arles

BOUCHES-
DU-RHÔNE

Lacaune

HÉRAULT

Aigues-Mortes

Pt Rhône

Gd Rhône

Étang
de
Berre

Montpellier

Monts de Lacaune

Pézenas

Servian ☆

St-Thibéry

Loupian

Puisserguier

Béziers

Sète

Minerve

Agde

Lézignan-
Corbières

Narbonne

Lagrasse

Fontfroide

MER

AUDE

Villerouge-
Termenes

MÉDITERRANÉE

Aguilar

Padern

uéribus

PYRÉNÉES

Têt

Perpignan

RIENTALES

Agen	Ville importante,ou site touristique exceptionnel
☆	Villages fortifiés
♜	Châteaux
⛪	Architecture religieuse
⚲	Évêché cathare
✈	Aéroport
══	Autoroutes
──	Grandes routes

0   20km

Les auteurs tiennent à remercier tous ceux qui ont contribué à la réalisation de ce livre. Bien que le plus grand soin ait été apporté à la rédaction de cet ouvrage, un certain nombre d'erreurs ou d'omissions ont pu se glisser dans le texte. Les lecteurs pourront les signaler à : Jean-Luc Aubarbier, Librairie Majuscule, 43, rue de la République, 24200 SARLAT, ou Michel Binet, lycée Saint-Joseph, 24200 SARLAT.

Cet ouvrage a été imprimé par l'Imprimerie Pollina SA à Luçon (85) - n° 64639 - D

Broché : I.S.B.N. 2.7373.0678.7 - Dépôt légal : avril 1992 - N° éditeur : 1978.02.06.03.94

Cartonné : I.S.B.N. 2.7373.1473.9 - Dépôt légal : mars 1994 - N° éditeur : 2862.01.03.03.94